ABC-Bücher sind bis ins 19. Jahrhundert hinein in vielfältigen Formen erschienen und fußen auf einer Tradition, die sich bis ins 15. Jahrhundert zurückverfolgen läßt. Sie folgen meist der Buchstabiermethode, wobei die einzelnen Buchstaben mit einfachen Begriffen in Verbindung gebracht werden. Gedichte, Lieder, Erzählungen und Illustrationen veranschaulichen die Buchstaben-Wort-Kombinationen. Ursprünglich waren die Texte ausschließlich auf die Bibel bezogen (Fibel ist eine kindersprachliche Entstellung von Bibel), später wurden meist Themen ausgewählt, die eher auf die Vorstellungswelt der Kinder abgestellt waren und zur stärkeren sprachlichen Durchdringung anregten. Das vorliegende „ABC-Buch für große und kleine Kinder“ enthält Erzählungen und Lieder von Robert Reinick (1805–1852) und Illustrationen von namhaften zeitgenössischen Künstlern, darunter Ludwig Richter, Ernst Rietschel, Eduard Bendemann und Julis Hübner. Das Taschenbuch ist ein Nachdruck der 4. Auflage aus dem Jahr 1876. Originalformat 18×24 cm. Mit einem Nachwort von Ulrike Bessler.

ABC=Buch
Leipzig. Alphons Dürr.
LR
HB

ABC-Buch

für

kleine und grosse Kinder

gezeichnet von Dresdner Künstlern.

Mit Erzählungen und Liedern

von

Robert Reinick,

und Singweisen von Ferdinand Hiller.

Vierte Auflage.

Leipzig,

Verlag von Alphons Dürr

1876.

Das Original, das als Druckvorlage für diesen Band diente, stellte die Stadt- und Universitätsbibliothek Frankfurt freundlicherweise aus ihren Beständen zur Verfügung.

Die bibliophilen Taschenbücher

Gesamtherstellung: Karl Hitzegrad, Dortmund
Printed in Germany

Inhalt.

Zum Titelblatt.

Wie ist's so schön auf Erden, wie ist der Wald so grün,
Wie prächtig, wenn im Garten die Blumen alle blühn
Und rings die Vögel singen fast ohne Unterlaß
Und wir dazwischen spielen im hohen weichen Gras!

Wie ist's so schön, wenn Abends in kalter Winterszeit
Die Mutter bei der Arbeit, wenn's draußen stürmt und schneit,
Ein hübsches Lied uns singet und Alles horcht und schweigt,
Der Vater dann erzählet und schöne Bilder zeigt!

Da denk ich: wenn auf Erden so viel uns mag erfreun,
Wie muß es erst dort oben einmal im Himmel sein;
Wo lauter Engel singen und stets die Sonne scheint
Und Alles jauchzt und jubelt und keine Seele weint!

Ach käme doch ein Engel, ich wünsch' es gar zu sehr,
Und brächte aus dem Himmel einmal ein Buch daher;
Und zeigte mir die Bilder, wie würd' ich da mich freun,
Zu sehen, wie's dort oben so wunderschön mag sein!

A a a A
Adam

A a A a A a

Adam — Affe.

1.

Die Geschichte von Adam.

Nachdem der liebe Gott die Erde geschaffen, sie mit Bäumen und Blumen geschmückt und mit Thieren belebt hatte, schuf er die ersten Menschen: Adam und Eva, und der Ort, in dem er sie erschuf, war ein schöner Garten und hieß: das Paradies.

Die ersten Menschen waren gleich Anfangs so hoch und herrlich gebildet, daß selbst die Thiere erkannten, das wären von nun an ihre Herren. Daher kamen sie alle in die Nähe der Menschen und lebten mit ihnen in Friede und Eintracht. Nur allein die Schlange war böse und suchte die Menschen zu verderben und dazu fand sich auch bald die Gelegenheit.

Als nämlich der liebe Gott dem Adam verbot von einem Apfelbaume die Früchte zu kosten, kroch die Schlange auf den Baum, brach einen Apfel und verleitete Eva davon zu essen. Eva that es und überredete auch den Adam dazu.

Für solchen Ungehorsam beschloß Gott die Menschen zu bestrafen. Er rief deshalb einen Engel, daß er sie aus dem schönen Garten hinaustreibe. Der Engel nahm ein feuriges Schwert, flog zur Erde herab und that, wie Gott ihm befohlen hatte.

So mußten Adam und Eva das Paradies verlassen und auch die Thiere flohen mit ihnen und zerstreuten sich im Lande umher.

— Draußen aber sah es anders aus als im Paradiese, da war es meilenweit wüst und öde und bisweilen weder Baum noch Strauch zu finden. Oft gab es Regen und Sturm, Hitze und Kälte.

Da mußte Adam im Schweiße seines Angesichts graben, säen und pflanzen, um den Hunger zu stillen, Eva mußte spinnen und arbeiten, um sich vor Kälte zu schützen, und als sie später Kinder bekamen, gab es der Arbeit und Sorge noch viel mehr.

Auch entstand mit der Zeit Feindschaft zwischen den Menschen und Thieren. Denn weil die Pflanzen nicht hinreichten, sie satt zu machen, so trieb sie der Hunger, einander zu verfolgen und zu tödten. Aber waren auch die Menschen an Kräften weit schwächer als viele Thiere, so waren sie doch an Verstand hoch über diese erhaben. Daher fürchteten die Thiere sich vor ihnen und flohen aus ihrer Nähe.

Das Alles war die Folge von dem Ungehorsam des Adam und der Eva.

2.

Die Fabel vom Affen.

Als die Thiere nach dem Sündenfall der ersten Menschen das Paradies verlassen hatten und mit diesen in Feindschaft gerathen waren, zogen die wildesten und bösesten unter ihnen, der Löwe, der Tiger, der Wolf, der Bär und mehrere andre in die Wälder und Einöden und lebten dort vom Raube und Morde, indem sie die schwächeren Thiere verfolgten und auffraßen. Die meisten von diesen flohen daher in die entlegensten Schlupfwinkel und blieben in fortwährender Angst und Scheu, wie zum Beispiel die Hirsche, die Hasen und Rehe; aber die sanfteren und freundlicheren Thiere, die Ochsen, die Schafe, die Hunde und noch viele andre wollten gern wieder einen Herrn haben, der, wie der Mensch, für sie sorge und sie pflegen möchte.

Sie hielten deshalb einen großen Rath und beschlossen endlich den Affen dazu zu erwählen, weil dieser dem Menschen am ähnlichsten war; denn er hatte ein sehr ernstes und weises Gesicht, ging aufrecht auf zwei Beinen, und war mit menschlichen Händen versehen, mit denen er geschickt zu hantieren wußte.

Damit er sich nun zu einem so hohen Amte erst wohl vorbereite, schickten sie ihn auf einige Zeit in die Nähe der Menschen, damit er von diesen allerlei Künste erlerne und sie den Thieren dann mittheilen könne.

Der Affe war auch sogleich dazu bereit und ging hin, wo Adam und Eva mit ihren Kindern wohnten. Dort setzte er sich auf einen Apfelbaum und sah dem Treiben der Menschen zu. Wer ihn da so mit seiner wichtigen Miene sitzen sah, mußte denken, wenn der's nicht lernt, so lernt's keiner.

In der ersten Woche war seine Aufgabe, den Menschen es abzusehen wie sie ihre Hütten bauten, denn die Thiere wollten auch vor der bösen Witterung geschützt sein.

Da sah er von seinem Baume hinunter, wie der Adam ein Beil nahm, damit gegen die Bäume schlug bis sie umfielen, wie er diese dann zurecht hackte und aus den Balken und Pfosten eine schöne Hütte zusammenstellte.

Kaum hatte der Affe das Alles nur ein klein wenig beobachtet, so sprach er für sich: „Hoho! wenn's weiter nichts ist, das will ich auch schon machen" und lief zu den Thieren zurück.

Dort angekommen, rief er sie alle zusammen und sprach: „Kommt! kommt, jetzt sollt ihr in mir den ersten Baumeister von der Welt sehen!" Damit nahm er den ersten besten Knittel und hieb wie närrisch gegen alle Bäume, rechts und links, die Kreuz und die Quer, daß die Thiere ihm aus dem Wege liefen. Aber die Bäume blieben alle ruhig stehen und rührten sich nicht und die Thiere lachten ihn aus.

Das ärgerte den Affen und er schnitt ihnen grimmige Gesichter. Aber bei sich selber dachte er: „Laß sie nur lachen! Ich bin doch klüger als sie, und wenn ich erst Herr bin, sollen sie's schon fühlen."

In der zweiten Woche wollte er lernen das Feld bestellen; denn es gebrach den Thieren an Futter.

Da sah er von seinem Apfelbaume, wie Adam einen Spaten nahm, ihn gegen den Boden stemmte, mit der Hand tüchtig dagegen drückte und in den Boden hineingrub. Auch sah er ihn später einen Beutel sich um den Leib binden, woraus er allerlei Körner in die aufgegrabene Erde warf, damit künftig daraus das Getreide emporwachse.

Der Affe dachte: „Pah! das ist keine Kunst, das wollen wir schon machen!" und weil er recht schlau sein wollte, stahl er dem Adam heimlich den Spaten und den Getreidesack weg und lief damit zu seinen Thieren zurück.

„Kommt, kommt!“ rief er ihnen entgegen, „jetzt sollt ihr einmal sehen, was ich für ein Ackersmann bin!“ Dann nahm er den Spaten, stemmte ihn gegen die Erde und drückte mit der Hand aus Leibeskräften dagegen. Aber statt ihn mit dem Eisen nach unten zu halten, hielt er ihn umgekehrt, das Unterste nach oben, und wie er nun so mit aller Gewalt dagegen drückte, schnitt er sich an der scharfen Schneide die ganze Hand entzwei, daß er laut aufschrie und den Spaten wegwarf.

Glücklicher Weise war ein Hund in der Nähe, der leckte ihm die Wunde aus, so daß der Schmerz bald vorüber ging. Da sprach er: „Ach was! das dumme Graben ist Nebensache; die Hauptsache ist das Säen.“ So nahm er denn den Getreidebeutel und weil nichts mehr darin war, füllte er kleine Steinchen und Sand hinein, band ihn um den Leib, ging mit wichtiger Miene und gewaltigem Eifer hin und her und auf und nieder und streute den Sand nach allen Seiten um sich her und im Eifer selbst den Thieren in's Gesicht.

Nachdem diese sich aber die Augen ausgewischt, merkten sie wohl, daß der weise Herr Ackersmann ihnen eitel Sand in die Augen gestreut, aus dem sein Lebtag kein Futter wachsen könnte. Da schüttelten sie bedenklich den Kopf und kehrten ihm den Rücken.

In der dritten Woche nahm der Affe sich vor, das Kochen zu lernen; denn es fing an kalt zu werden, und er glaubte, wenn er den Thieren erst eine warme Suppe bereitet hätte, könnten sie ihn gar nicht mehr entbehren.

Da sah er, wie Adam trockenes Reisig zusammentrug, aus seiner Hütte einen Brand holte und das Reisig damit anzündete, darauf hing Eva einen irdenen Kesseltopf über dem Feuer auf, that den Kohl hinein und nach einer Stunde war die Suppe fertig.

„Hoho!“ sprach der Affe, „das ist auch keine Hexerei!“ sprang vom Baume, riß einen brennenden Spahn aus dem Feuer und ehe Adam ihm nachsetzen konnte, war er damit über alle Berge gesprungen.

„Guten Appetit!“ rief er den Thieren schon aus der Ferne entgegen; „Heute sollt ihr etwas zu essen bekommen, wonach ihr alle Pfoten lecken werdet! Heda, ihr Hunde! holt mir rasch trockene Reiser zusammen, da werdet ihr etwas erleben!“

Die Hunde apportirten schnell das Reisig, der Affe steckte den Brand hinein und die Flamme flackerte und prasselte lustig in die Luft. Bald aber ließ das Feuer nach. „Das wollen wir schon bekommen,“ rief der Affe und blies mit vollen Backen in die Asche, daß die Funken ihm und den Thieren in den Pelz flogen und die Haare verbrannten. „Schad't nichts,“ rief er, „keine Freud' ohne Leid! Habt nur Geduld, Ende gut, Alles gut!“

D'rauf holte er ein großes Lattichblatt, hing es an zwei Stäben über dem Feuer auf, schöpfte mit der hohlen Hand Wasser aus dem nächsten Bach hinein und warf in dieses Brennesseln und allerlei Unkraut, was grade am Wege stand.

„Das wird uns schmecken!“ rief er den Hunden zu, denen schon das Wasser vor Appetit aus dem Maule lief. Aber kaum hatte er's gesagt, so schrumpfte das Lattichblatt vor Aller Augen zusammen, die künftige Suppe lief in's Feuer und löschte es aus und mit dem Kochen war's für immer vorbei.

Da fingen die Thiere sehr an zu brummen, besonders die Ochsen, und keiner wollte mehr von der Weisheit des Affen etwas wissen. Der aber sprach: „Schämt euch, ihr Thiere! Wer wird denn gleich den Muth verlieren; lernen wir es nicht, so lernen es uns're Kinder. Aber die müssen gehörig behandelt und dazu erzogen werden. Daher will ich vor allen Dingen jetzt erst die Kindererziehung von den Menschen lernen.“

Das wollte den Ochsen gar nicht in den Sinn und sie brummten noch viel mehr als zuvor, aber die Pferde und Hunde, die schon mehr Lust am Lernen hatten, fanden den Vorschlag nicht so übel. Sie überredeten dazu auch die andern Thiere und in der vierten Woche saß der Affe wieder auf seinem Baume.

Eben schrieen die kleinen Kinder der Eva und weinten, daß es nicht zum Anhören war. Da kam die Mutter heraus, wickelte sie in ein Tuch, legte sie in einen runden Korb und wie sie diesen mit dem Fuße anstieß, daß er sich hin und her wiegte, wurden die Kinderchen ganz still und schliefen ein. Die größeren Kinder aber küßte sie, wenn sie artig gewesen und züchtigte sie mit Schlägen, wenn sie unfolgsam waren.

Kaum hatte der Affe das gesehen, so sprach er: „Das Kindererziehen versteh' ich jetzt aus dem Grunde, aber dazu gehört auch ein Tuch, wie die Menschen da haben." Weil nun grade ein solches in der Nähe auf dem Apfelbaume zum Trocknen aufgehängt war, so stahl er es heimlich weg, band es dann wie eine Fahne an einen Stock und kam damit jubelnd zu den Thieren zurück.

„Nun bringt mir einmal eure sämmtlichen Kinder herbei, die sollen in einer Stunde erzogen sein!" so rief er den Thieren entgegen. Diese brachten denn eilig ihre jungen Kälberchen, Füllenchen, Lämmerchen, Zickelchen, Hündchen und Kätzchen und noch viele viele andre junge Thierchen, eins immer niedlicher als das andre.

Die Kälberchen schrieen, die Füllenchen wieherten, die Lämmerchen blökten, die Zickelchen meckerten, die Hündchen winselten, die Kätzchen miauten, vor Allen aber schrieen und quiekten die jungen Ferkelchen am meisten.

„Ihr Schreihälse sollt schon still werden," sprach der Affe, nahm auf einmal sechs Ferkel, die am ärgsten schrieen, legte sie in's Tuch, schnürte es zusammen, wie man ein Bündel Wäsche schnürt und legte das ganze Pack in das Laub auf einen schwankenden Baumast. D'rauf sprang er selbst auf den Stamm und stieß mit dem Fuße an den Ast, um ihn hin und her zu wiegen. Aber — klatsch — lagen die sechs Spanferkel mit ihrem Tuch auf der Erde und waren mäuschenstill. „Seht ihr," sprach der Affe, „allmälig komm' ich schon dahinter. Jetzt aber will ich mein Meisterstück machen an euren älteren Kindern, da werdet ihr Respect vor mir bekommen!"

Nun ließ er alle die jungen Thiere um sich her in einen Kreis treten. Erst betrachtete er sie lange mit gelehrter und wichtiger Miene, dann ging er hin und küßte und leckte ein Jedes von ihnen mit seinen garstigen Lippen auf's Allerzärtlichste, zuletzt aber sprach er: „Paßt auf, jetzt kommt die Hauptsache!" und bei diesen Worten holte er mit seinen breiten ellenlangen Armen aus, so weit er nur konnte und theilte nach allen Seiten Ohrfeigen aus, daß die Thierchen laut brüllten und heulten und die jungen Füllen ausschlugen und davon liefen.

Unterdessen hatte auch die alte Sau das Tuch, in dem ihre Ferkelchen so stille da lagen, aufgewühlt und aufgewickelt, und da fand sich, daß sie alle sechs sich mausetodt gefallen hatten.

Das wurde den Thieren denn doch zu toll. Sie sahen ein, daß der Affe ein dummes und eitles Thier sei, das Alles besser wissen wollte als Andre, aber weder Fleiß noch Lust hatte, etwas Ordentliches recht aus dem Grunde zu erlernen. Daher jagten sie den Narren fort, kehrten zum Menschen zurück, der einmal zu ihrem Herrn bestimmt worden, und wurden seine Hausthiere.

Der Affe denkt aber auch jetzt noch immer daran, die Herrschaft über die Thiere einmal zu erlangen, daher macht er noch fortwährend den Menschen nach, was er von ihnen nur irgend absehen kann; doch weil er Alles nur halb anfängt und zu seinem eigenen Spaße treibt, so ist und bleibt er sein Leben lang — ein Affe.

B b B b B b

Bilderbude.

'S ist Jahrmarkt heut', 's ist Jahrmarkt heut'!
Das ist doch eine lust'ge Zeit!
Da hört man geigen, hört man flöten,
Seiltänzer durch die Stadt trompeten,
Die Buden steh'n in langen Reih'n
Voll Spielwerk und voll Näscherei'n.
Doch eine Bude weiß ich dort,
Die liebste mir im ganzen Ort,
Darinnen steht der Bildermann
Und rufet alle Kinder an.

Er ruft: „Ihr Kinder, bleibet steh'n!
Hier könnt die ganze Welt ihr seh'n
Gemalt, gestochen, schwarz und grau,
Ganz accurat und sehr genau;

Was nur auf Erden ist geschaffen
Von Adam bis zum närr'schen Affen,
Vom Elephanten bis zum Wurm,
Den Berg Vesuv, den Meeressturm,
Theaterpuppen, Kürassiere,
Die Jahreszeiten alle viere!

Heran ihr Mädchen, kommt ihr Knaben,
Bequemer könnt ihr's gar nicht haben!
Hier seht ihr's regnen, schneien, blitzen,
Und könnt dabei im Trocknen sitzen.
Der Löwe reißet auf den Rachen,
Ihr könnt ihm dreist entgegenlachen.
Hier giebt es Schlacht und Kriegesnoth,
Doch keine Kugel schießt euch todt.
Die Könige und ihre Schätze,
Die schönsten Städt' und ihre Plätze
Für wenig Geld könnt ihr sie kaufen
Und braucht nicht meilenweit zu laufen.

Heran ihr Kinder, kommt heran,
Und seht die lust'gen Bilder an!
Beschaut die Büchlein auch zugleich,
An Liedern und Geschichten reich.
Wohl manches kennt ihr schon davon,
Die Ammenuhr, den Robinson,
Das neue Bilder-A-B-C,
Darin ich selbst gemalet steh'.

B. b.
B. b.
Die schwarze Tante
ABC Buch
P. Schlicke
Bilderman.
I.G. FLEGEL SC

Und fragt ihr, wer das Bild gemacht
Und auch die andern ausgedacht?
Seht oben die Gesichter hier,
Das sind die Maler, glaubet mir,
D'rum achtet d'rauf, und merkt sie euch,
Und wer davon begegnet euch,
Den grüßet fein und seid bedacht,
Daß er euch manche Lust gebracht."

So ruft der lust'ge Bildermann,
Nimmt eine tücht'ge Priese dann,
Und scheucht die Fliegen mit dem Wedel.
Die Knaben aber und die Mädel
Entzückt vor all' den Bildern steh'n,
Und können sich nicht satt d'ran seh'n,
Und suchen sich das Schönste aus,
Und bringen jubelnd es nach Haus.

C c C c C c

Christkind.

Die Nacht vor dem heiligen Abend
Da liegen die Kinder im Traum,
Sie träumen von schönen Sachen
Und von dem Weihnachtsbaum.

Und während sie schlafen und träumen,
Wird es am Himmel klar,
Und durch den Himmel fliegen
Drei Engel wunderbar.

Cc
Christkind. Comet.
Cc
E.R

Sie tragen ein holdes Kindlein,
Das ist der heil'ge Christ,
Es ist so fromm und freundlich,
Wie keins auf Erden ist.

Und wie es durch den Himmel
Still über die Häuser fliegt,
Schaut es in jedes Bettchen,
Wo nur ein Kindlein liegt.

Und freut sich über Alle
Die fromm und freundlich sind,
Denn solche liebt von Herzen
Das liebe Himmelskind.

Wird sie auch reich bedenken
Mit Lust auf's Allerbest',
Und wird sie schön beschenken
Zum morgenden Weihnachtsfest.

Heut' schlafen noch die Kinder
Und seh'n es nur im Traum,
Doch morgen tanzen und springen
Sie um den Weihnachtsbaum.

D d D d D d

Dieb.

Im nächsten Städtchen gab es Kirchweih und Jahrmarkt, deshalb waren alle Leute aus dem Dorfe dorthin gezogen, um einzukaufen, lustig zu sein und zu tanzen. So war es denn am Abende gar still im Orte, kein Mensch war zu sehen noch zu hören. Der Brunnen, an dem sonst um diese Zeit die Mädchen beim Wasserholen plauderten und lachten, streckte seinen langen Balken neugierig in die Luft, als wollte er fragen: kommt denn heute Niemand her, mein Wasser zu holen? Unter der großen Linde, wo an andern Abenden die jungen Bursche saßen und ihre Lieder sangen, regte sich heut' kein Grashälmchen und nur oben im Baume pfiff ein Vögelchen sein Abendlied. Selbst der alte Baumstamm, worauf die Kinder zu spielen und herumzuklettern pflegten, lag verlassen und leer da und nur wenige Ameisen, die sich bei der Arbeit verspätet hatten, krochen darauf noch hin und her, um sich ihr Abendbrod zu holen.

D. d.
D. d.
Dorf Dieb.

Allmälig kam die Dämmerung herauf, es wurde immer dunkler und stiller und nachdem die lauten lustigen Vögel in ihre Nester gekrochen waren, schlüpften die häßlichen Fledermäuse hervor und schwirrten und huschten durch die Abendluft. —

Da kam um die Ecke der Scheune ein Mann daher. Er schlich leise und ängstlich immer der Mauer entlang, wo es am dunkelsten war. Dabei sah er sich scheu nach allen Seiten um, ob auch kein Mensch da wäre, der ihn bemerken könnte. Als er sich aber ganz sicher glaubte, kletterte er auf die Mauer, kroch dort auf allen Vieren wie eine Katze weiter, bis an eine Stelle, wo die Mauer an's Haus stieß und schwang sich dann in ein Fenster des Hauses hinein, das gerade offen stand.

Der Mann aber hatte recht böse Dinge im Sinne, denn er war ein Dieb und gedachte die Leute, die in dem Hause wohnten, zu bestehlen.

Nachdem er durch das Fenster hineingekrochen war, befand er sich in einer leeren Kammer, dicht daneben war die Wohnstube der Hausbewohner; eine Thüre, die dort hineinführte, war nicht geschlossen, sondern nur leicht angelehnt.

Der Dieb wußte wohl, daß die Leute ebenfalls auf den Jahrmarkt gegangen, doch dachte er, es könnte vielleicht zufällig Jemand in die Stube gekommen sein, legte daher das Ohr an die Thürspalte und horchte.

D'rinnen hörte er ein Kind laut sprechen, und wie er durch's Schlüsselloch guckte, sah er beim Dämmerscheine, daß es ganz allein mit gefalteten Händen in seinem Bettchen saß — das Kind betete, wie es immer vor Schlafengehen that, laut sein Vaterunser. —

Schon sann der Mann darüber nach, wie er dennoch seinen Diebstahl am Besten ausführen möchte, da hörte er, wie das Kind mit lauter, klarer Stimme eben die Worte betete: „Und führe uns nicht in Versuchung, sondern erlöse uns von dem Uebel!"

Das ging dem Manne tief zu Herzen und sein Gewissen erwachte.

Er fühlte, wie schwer die Sünde sei, die er eben hatte begehen wollen. Da falteten sich auch seine Hände und auch er betete inbrünstig für sich: „Führe uns nicht in Versüchung, sondern erlöse uns von dem Uebel!“ und der liebe Gott erhörte ihn.

Auf demselben Wege, den er gekommen, schlich er wieder zurück bis in sein Kämmerlein. Dort bereute er von ganzem Herzen sein bisheriges Leben, bat Gott um Verzeihung und dankte ihm für den Schutz, den er ihm durch den Mund eines frommen Kindes hatte angedeihen lassen.

Er ist darauf ein arbeitsamer und ordentlicher Mensch geworden.

E. e. E. e.
Einsiedler

E e E e E e

Einsiedler.

Ein alter braver Soldat, der sich tüchtig herumgeschlagen und manche Wunden in der Schlacht erhalten, kehrte arm und müde aus dem Kriege zurück. Als er in sein Dorf kam, fand er Weib und Kind vom Feinde erschlagen und sein Haus mit allem Hab und Gut zu Asche verbrannt. So ging er denn zu den Nachbarn von Haus zu Haus und bat um Arbeit, Almosen oder Brod, aber die einen sprachen: „Wir geben Dir keine Arbeit, Du bist zu alt und schwach dazu.“ Die andern: „Wir geben Dir kein Almosen, geh' arbeiten.“ Die meisten aber sagten: „Das Brod gebrauchen wir für uns selbst, aber nicht für Herumtreiber.“

Da ward der alte Mann den Menschen gram und sprach: „Ihr seid härter als Steine und unfreundlicher als die Thiere des Waldes; wenn Ihr euch meiner nicht erbarmt, so werden die es thun.“ Somit beschloß er, ein Einsiedler zu werden, ließ sich in einem Kloster ein härenes Gewand und ein Gebetbuch, dazu ein Beil und einen Spaten geben und ging in das menschenleere wilde Gebirge hinaus.

Dort zog sich ein langer Wald über Berge und Thäler, aus dessen Mitte sich ein hoher, breiter Felsblock erhob, mit Erde und Gras bedeckt und von schönen, alten Bäumen beschattet. Unter diese Bäume baute sich der Mann eine Hütte von Brettern, hing an den Baum ein Kruzifix, in der Kammer sein altes Schwert auf und umzäunte den ganzen Platz, damit keine wilden Thiere hereinbrächen.

Und wirklich erbarmte sich der harte Fels seiner mehr, als die Menschen gethan. Aus seinen Spalten ließ er ihm eine klare Quelle fließen, auf den Bäumen wuchsen Aepfel und Birnen und die Erde trug nahrhafte Kräuter, Beeren und Wurzeln.

Davon nährte sich der Einsiedler und führte dort oben ein stilles, in sich gekehrtes Leben, das ihm auch allmälig manchen Genuß gewährte. Die Zeit ward ihm, trotz der Einsamkeit, niemals lang. Er betete und las in seinem Buche, er baute sich ein Gärtchen an und bepflanzte es mit Blumen und Bäumen; er beobachtete den Lauf der Sonne und des Mondes, der Sterne und der Wolken. Das gab ihm Stoff zu vielen Betrachtungen, aber auch die Erinnerung an Weib und Kind verkürzte ihm manche Stunden.

Von dem Walde da unten ging allgemein das Gerede, er sei verzaubert; deshalb fürchteten sich die Leute der Umgegend, ihn zu betreten. Aber der Einsiedler hatte nie gewußt was Furcht sei und dachte: „Schlimmer kann mir's darin doch nicht ergehen, als es mir in meinem Dorfe geschah.“ Weil es nun in dem Walde gar herrlich war, pflegte er oft Tage lang darin umherzuwandern, ohne daß ihm jemals etwas Böses zugestoßen wäre.

Im Gegentheil, er genoß dort großer Freuden. Der ganze Wald war voller Thiere: Hirsche, Hasen, Kaninchen und manche andere; die waren zahm und freundlich und statt ihn zu fliehen, näherten sie sich ihm und sahen ihn oft so bedeutsam an, als hätten sie ihm etwas Wichtiges zu erzählen.

Einmal kam ihm auch ein weißes Reh entgegen, mit schlankem und edlem Wuchse und klugen, freundlichen Augen. Kaum erblickte es den

Mann, so trat es zierlich an ihn heran, leckte ihm die Hände und da er es wieder streichelte und es liebkos'te, folgte es ihm bis an seine Hütte und ging fortan nimmer von seiner Seite. — Gleich an demselben Abend kamen auch noch andere Thiere ihm nachgezogen: Eichkätzchen, Tauben und Singvöglein und bauten ihre Nester in der Nähe der Klause. Gewann der Greis nun auch alle die Thiere von Herzen lieb, so that er es doch ganz besonders mit dem schönen Reh. Das hegte und pflegte er wie ein Kind. Er machte ihm neben seinem eigenen Lager eine weiche Streu von Binsen und Moos, fütterte es aus der Hand mit feinen und gewürzigen Kräutern und konnte oft Stundenlang mit ihm sprechen. Dabei war es ihm immer, als verstände ihn das Thier und nähme an allen seinen Schicksalen Theil.

Mit dem Reh hatte es aber auch sonst noch seine eigene Bewandniß. Wo es sich nur zeigen mochte, da ward es von den andern Thieren mit großer Freude und Ehrfurcht begrüßt und alle suchten ihm zu dienen. Kam es durch den Wald geschritten, so zogen buntscheckige Schmetterlinge vor und neben ihm her, wie Läufer und Kammerhusaren neben der Kutsche eines großen Herrn. Stolze Hirsche wichen ehrerbietig vor ihm zurück und bogen mit ihren Geweihen die Büsche und Aeste fort, die den Weg versperrten. Aber die Vögel pflückten die buntesten Blumenblättchen und streuten sie von Aesten und Zweigen und aus der Luft vor dem Reh auf den Weg hin; auch sangen sie alle zusammen in so lieblichem Einklang, daß es wie ein Concert durch den stillen Wald ertönte. Wollte sich aber irgendwo ein vorlauter Frosch wichtig machen und fing an zu quaken, so ging der Storch als Polizei in den Sumpf, nahm mit dem langen rothen Schnabel den Schreihals beim Kragen und sperrte ihn in seinen Magen ein, wo ihm das Schreien verging.

Auch der Einsiedler hatte das wohl bemerkt und er hatte oft große Lust daran, wenn er die Zärtlichkeit der Thiere gegen sein liebes Reh mit ansah. So kam jedesmal, wenn das Thier sich zur Ruhe legte, ein Vögelchen aus dem Strauch geflogen, setzte sich in's Fenster und sang es leise in den Schlaf; ein Eichkätzchen sprang vom Baume, setzte sich neben seinen Kopf auf's Moos und wedelte ihm mit dem buschigen Schwänzchen Kühlung zu, und flinke Eidechsen schnappten emsig alle Mücken weg, die es stechen wollten. Wenn aber Morgens das Reh sich vom Lager erhob, flogen jedesmal, ehe es ausging, zwei weiße Täubchen vom Dache herab und legten ihm mit ihren Schnäbeln säuberlich die Haare zurecht, die sich etwa verschoben hatten. Das Reh ließ sich das Alles gern gefallen, als müsse es so sein, und dankte den Thieren, die ihm dienten, nur mit recht freundlichen Blicken aus seinen blanken Augen.

Da begab sich's einmal, daß an einem Sommermorgen der Himmel gar seltsam sich mit Wolken umzog, dabei ward die Luft schwül und drückend. Der Einsiedler saß ruhig in der Zelle und las in seinem Gebetbuche. Das Reh aber hatte keine Ruhe, aß und trank nichts, ging hin und her, bis es endlich den Berg hinab in den kühlen Wald lief. Mitten auf einem großen grünen Platze ließ es sich nieder in das weiche Gras, alle Thiere des Waldes, wohl tausend und noch mehr, kamen herbei und lagerten sich in einem weiten Kreise um dasselbe in ehrerbietiger Entfernung; und auf allen Bäumen saßen die hübschen bunten Vögel, wie wohl schöne Frauen auf den Balkonen zu sitzen pflegen, wenn es etwas zu sehen giebt. Die Thiere sahen schweigend nach dem Reh hin, als erwarteten sie etwas, bis eines nach dem anderen und endlich das Reh selbst in der großen Hitze einschlief. Nur die Hasen, die mußten rings umher Schildwache stehen und mit ihren spitzen Ohren fortwährend: „Präsentirt's Gewehr“ machen. — Da erscholl plötzlich durch den stillen Wald Hundegebell und Hörnerklang. Es kam immer näher und näher und auf einmal erschien zu Rosse der junge Königssohn, umgeben von vielen Jägern zu Fuß und zu Pferde, der hatte sich auf der Jagd in den Zauberwald verirrt.

Die Hasen pfiffen, die andern Thiere sprangen auf und drängten sich um das Reh, um es zu beschützen, das aber floh in raschem Lauf davon. Doch der Königssohn hatte es schon erblickt und rief: „Wer mir das schöne Thier tödtet, der soll sterben, wer's aber fängt und mir lebend bringt, soll ein Jägerhorn von lauterm Golde bekommen.“ Und sogleich jagte der ganze Troß, den jungen König an der Spitze, dem fliehenden Thiere nach.

Das flog wie ein Pfeil aus dem Walde hinaus, den Felsen hinauf, dort stürmte es in die Zelle, wo der Greis noch betete, und versteckte sich hinter seinem Kleide. Bald war auch der Königssohn oben und da er wohl sah, wo sich das Thier versteckt, rief er dem Einsiedler zu, er solle ihm das Thier herausgeben. Der aber beschützte es mit seinen Armen und sprach: „Wenn ich das thäte, so wäre es eine Sünde. Wer auf meiner Schwelle Schutz sucht, der findet ihn auch!“ — „So mußt Du sterben!“ rief der Jüngling und erhob seinen Speer; doch in dem Greise erwachte die alte Kampflust. Im Nu riß er sein Schwert von der Wand und sprach: „So laß uns darum kämpfen!“

Der Kampf begann. Mit furchtbarer Kraft hieben Beide auf einander los, aber zuletzt ermüdete die Kraft des Greises. Der Jüngling schlug ihm das Schwert aus der Hand und zückte das seinige, um ihn zu tödten. Doch das Reh sah die Gefahr seines Beschützers, sprang zwischen Beide und ward statt des Alten vom Schwert des Königssohns durchbohrt. Da lag das zarte Thierlein im grünen Gras und das Blut strömte mit Macht aus der offenen Wunde; aber statt an den Boden zu fließen, verbreitete das rothe Blut sich über den ganzen Leib des Thieres und umhüllte es wie mit einem prächtigen Purpurmantel. Zugleich wuchs sein Geweih zu einem goldnen Krönlein zusammen und endlich lag statt des Rehes ein wunderliebliches Königstöchterlein im Grase, das hatte die Augen geschlossen, als schlummere es.

Als der Königssohn das schöne Frauenbild sah, faßte er eine innige

Liebe zu ihm. Er sank auf seine Knie, beugte sich über die Jungfrau und sprach: „Wach' auf, wach' auf, Du Königstöchterlein, Du sollst meine Königin sein!" und damit küßte er sie auf ihren rothen Mund.

In demselben Augenblicke erhob sich ein Tosen in der Luft, die Blitze zuckten und die Donner rollten, es brauste der Sturm und die Erde erbebte. Die Königstochter schlug die Augen auf, erhob sich vom Boden und sprach zu dem Königssohn: „Die Zeit ist nun erfüllt, der Zauber gelöst! Mich und mein Hofgesinde hielt ein böser Zauberer hundert Jahre lang verwandelt. — Willst Du mich zu Deiner Frau, so bin ich und Alles, was mein ist, Dein eigen."

Und als sie das gesprochen, brach die Sonne wieder aus den Wolken und aus dem Walde unten stieg ein prächtiges Schloß empor mit hohen Thürmen und goldenen Zinnen. Da konnte man trotz der Entfernung sehen, wie es mit einemmal im Walde wimmelte von Hofleuten und Dienern, und Rittern zu Roß und zu Fuß und die Luft erscholl von Pauken- und Trompetenschall.

So waren nun alle Thiere im Walde wieder in Menschen verwandelt, aber auch die, welche oben beim Einsiedler gehaust, nicht minder. Denn statt des Eichkätzchens saß ein flinker Page auf dem Baume, statt der Lachtauben ein paar lustige Kammerfräulein auf dem Dache und statt der Singvögel allerlei Musikanten in den Büschen, die strichen auf ihren Geigen, bliesen auf ihren Flöten und sangen dazu schöne Lieder.

So ward der Königssohn und die junge Königin Mann und Frau, und der Einsiedler segnete ihren Bund. D'rauf kam aus dem Walde ein reicher Zug von Rossen und Dienern, die Beiden abzuholen in ihr Schloß. Als diese die Rosse bestiegen hatten, wollten sie auch den Greis mit sich nehmen, damit er ihr erster Minister würde und stets um sie bleibe. Der aber verweigerte es und sprach: „Laßt mich hier in meiner Einsamkeit, ich passe nicht mehr für die Menschen. Mir strahlt auch die Sonne prächtiger als Euer Gold und der Mond lieblicher als Euer Silber. Die Sterne sind meine Edelsteine und der weite Himmel mein Königszelt. Ihr möget mich zuweilen in meiner Zelle besuchen und mir erzählen, daß es Euch wohlgeht. Auch bitte ich noch, sorgt dafür, daß ich wieder so lustige Gesellschaft um mich sehe, als früher!“

Und so geschah es auch. Mit herzlichem Dank für seinen Schutz zog die Königin und ihr Gemahl mit dem ganzen Hofgesinde von dannen. Bald fanden sich auch wieder freundliche Thiere bei dem Einsiedler ein und, waren sie auch nicht so wunderbar wie die früheren, so pflegte er sie doch mit Liebe und Lust bis an sein seliges Ende. Auch zu den Menschen faßte er wiederum Liebe und Vertrauen, und als er starb, ließ der junge König ihn in ein marmornes Grab legen, aber die Königin pflanzte schöne Blumen rings umher und benetzte sie mit ihren Thränen.

F f F f F f

Fuhrmann und Fährmann.

Was thut der Fuhrmann?
Der Fuhrmann spannt den Wagen an,
Die Pferde ziehn, der Fuhrmann knallt,
Daß laut es durch die Straßen schallt.
He, Holla, he!

Was thut der Fährmann?
Der Fährmann legt an's Ufer an,
Und ruft: „Ich lieg' nicht lange still,
D'rum komme, wer hinüber will!"
He, Holla, he!

F. f.
F. f.
E
Fähre. Fuhrmann.
E Kretzschmar sc.

Da kam der Fuhrmann
Mit seinem großen Wagen an,
Der war mit Kasten vollgespickt,
Daß sich der Fährmann drob erschrickt.
He, Holla, he!

„Ei,“ sprach der Fährmann,
„Dich fahr' ich nicht, Gevattersmann,
„Zahlst du mir nicht aus jeder Kist',
„Ein Stück von dem, was d'rinnen ist.“
He, Holla, he!

„Gut,“ sprach der Fuhrmann.
Und als sie drüben kommen an,
Die Kasten öffnen sie geschwind, —
Was war darin? — Nur leerer Wind.
He, Holla, he!

Schalt nicht der Fährmann?
Bewahr! Er lacht und sagte dann:
„Aus jeder Kist' ein Stücklein Wind,
Ei nun, da fährt mein Schiff geschwind!“
He, Holla, he!

G g G g G g

Gänse.

Nun sagt einmal, ihr Gänschen, mir, ich seh' Euch lange zu,
Was habt ihr saubre Kleiderchen und schöne rothe Schuh?
Ihr wollt gewiß zum Tanze geh'n;
Nicht war, ihr tanzet wunderschön?

G. g.
G. g.
Gasthaus zur Gabel.
Gasthaus. Gänse.
I. C. FLEGEL SC.

Das schmeichelte den Gänschen sehr, sie thaten gleich manierlich
Und fingen d'rauf zu tanzen an, 's war aber gar nicht zierlich.
Sie wackelten wohl auf und ab
Und traten fast den Fuß sich ab.

„Nun aber sagt, ihr Gänschen, mir, ich seh' euch lange an,
Was ihr für weiße Hälse habt und rothe Schnäbel d'ran?
Damit singt ihr wohl allzumal
Viel schöner als die Nachtigall?"

Da räusperten die Gänschen sich und machten schnell sich niedlich,
Und fingen d'rauf zu singen an, 's klang aber nicht gemüthlich,
Sie schnatterten, es war ein Graus
Und schrie'n sich fast die Kehlen aus.

Wohl manches Kind hat hübsche Schuh und Kleider schön und bunt,
Wohl manches einen weißen Hals und einen rothen Mund,
Doch ist noch sehr die Frage dann:
Ob's tanzen auch und singen kann!

H h H h H h

Noch glänzt der letzte Abendschein,
Da treibt der Hirt die Heerde ein,
Der Knabe singt, das Mädchen lacht,
Der Hund nach allen Seiten wacht.

So zieh'n sie froh dem Dorfe zu.
Rings liegt die Welt in stiller Ruh',
Und über'm Berge klar und rein
Hebt sich der Mond mit hellem Schein.

H. h.
H. h.
ER
Hirt und Heerde

Da spricht der Knabe: „Vater, schau',
Gleicht nicht der Himmel einer Au'?
D'rauf geh'n, wie uns're Schafe dort,
Die Wolken auch von Ort zu Ort."

Der Vater spricht: „Hast recht, mein Kind,
Die treibt als Hund der Abendwind,
Und, daß sich keins davon verirrt,
Wacht dort der Mond, der gute Hirt!"

So sprechen sie noch Vieles mehr,
D'rauf kommt vom Dorf die Mutter her,
Das Kindlein ihr an's Herz gedrückt,
Das lacht, wie es die Heerd' erblickt.

Doch als den Vater es gewahrt,
Da jauchzt es recht nach Kindesart
Und streckt die Arme nach ihm aus,
Und alle geh'n vergnügt nach Haus.

Dort essen sie ihr Abendbrod
Und denken nicht an Sorg' und Noth,
Und danken Gott und geh'n zur Ruh'
Und schlafen süß dem Morgen zu.

J i I i J i

Jäger.

J. i.
I. i. J.
Jäger.

Im Wald, im grünen Walde,
Da geht der Jäger auf die Jagd
In seiner lust'gen Jägerstracht.
Trala, hallo, trala.
Er bläst das Horn nach Jägersbrauch,
Die Häslein springen aus dem Strauch
Und Hund und Jäger hinterdrein.
Ach könnt' ich so ein Jäger sein! —
Bin aber noch viel zu klein.

Im Wald, im grünen Walde,
Da ist's so kühl und frisch und grün,
Da sind wohl tausend Hirsche d'rin,
Trala, hallo, trala!
Die schießt der Jäger, daß es knallt,
Von Thal und Bergen wiederhallt,
Und all' die Hirsche, die sind sein:
Ich aber darf nicht mit hinein,
Ich bin noch viel zu klein.

Im Garten, ja, im Garten,
Da jag' und spring' ich frei umher,
Als ob ich schon ein Jäger wär',
Trala, hallo, trala!
Und was von Kindern kommt herein,
Die müssen Hirsch und Hasen sein.

Doch bin ich groß und nicht mehr klein,
Dann laß ich Garten Garten sein
Und jag' in den Wald hinein!

Anmerkung. Für den Gesang ist der Schluß der Verse in folgender Weise zu ändern:

1. Vers: „Bin aber leider viel zu klein!“
2. Vers: „Ich bin noch viel, noch viel zu klein.“
3. Vers: „Und jage in den Wald hinein.“

K. K.
k. k.
Kinder. Kranz. Katze.
ER.
EG. Dr.

K k K k K k

Kinderliedchen.

Zum Spiel und zum Tanz
Die Kinder sich schmücken,
Winden Blumen zum Kranz,
So will es sich schicken.

Thut's Blümlein im Kranz
Sich biegen und ranken,
Muß das Kindlein beim Tanz
Fügen sich, nicht zanken.

Kindchen und Kätzchen.

Kindchen und Kätzchen
Lassen gern sich streicheln,
Kindchen und Kätzchen
Mögen gerne schmeicheln.

Doch das Kindchen mit dem Mündchen,
Das küßt nur und schwatzt,
Aber's Kätzchen mit dem Tätzchen,
Nimm dich in Acht, es kratzt!

Lamm
Ll Ll

L l L l L l

Lamm.

Zum Lamm spricht seine Mutter bang':
„Kind, geh' nicht an den Felsenhang!“
Das Lamm denkt aber still für sich:
„Wie ist die Mutter wunderlich,
Die schönsten Blumen steh'n ja dort,
Die hol' ich mir nur eben fort.“ —
Doch wie es d'rauf die Blumen pflückt
Und in den tiefen Abgrund blickt,
Erschrickt es, gleitet von dem Rand,
Und stürzt hinab die Felsenwand.

Da lag es nun im tiefen Grund,
Im Herzen weh, an Gliedern wund,
In Disteln und in Dorngehegen
Und konnt' nicht rühren sich, noch regen. —

Die Sonne sank, es kam die Nacht,
Kein Auge hat es zugemacht
Stets dacht' es an sein Mütterlein
Wie das so traurig würde sein,
Auch an die Brüder allzumal
Und an den schönen warmen Stall.
Und sprach: „'s ist Alles meine Schuld,
D'rum muß ich's tragen in Geduld.“
So litt es Hunger, Frost und Sorgen,
Bis daß erschien der lichte Morgen;
Da ist der gute Hirt gekommen
Und hat sein Rufen bald vernommen;
Von Dornen und von Herzeleid
Hat er das arme Lamm befreit,
Und hat's der Mutter heimgebracht.
Der so viel Kummer es gemacht.

* * *

O Kindlein, bitt' den lieben Gott,
Daß er, geräthst du einst in Noth,
Auch Dir den guten Hirten sende,
Der alles Leiden von dir wende.

Mm
Mm
Mutter.
GELLER

M m M m M m

Mutter.

Mütterlein sprich,
Warum liebst du dein Kindlein doch so inniglich?
Aber die Mutter spricht:
„Das weißt du nicht? —

Mütterlein, sprich,
Warum liebst du dein Kindlein doch so inniglich?
Aber die Mutter spricht:
„Das weißt du nicht? —
„Weil's fromm ist all'zeit,
„Nicht weint und nicht schreit.
„Und lustig ist's auch
„Wie's Vöglein im Strauch.
„Doch geht es zur Ruh',
„Lacht es freundlich mir zu.
„Und wenn es erwacht,
„Da küßt mich's und lacht.
„D'rum lieb' ich's so sehr,
„Wie nichts auf der weiten Erde mehr."

Kindlein, o sprich:
Warum liebst du dein Mütterlein doch so inniglich?
Und das Kindlein spricht:
„Das weißt du nicht? —
„Weil's mich hegt und pflegt,
„Auf den Armen mich trägt,
„Wacht, wenn ich bin krank,
„Giebt mir Speis' und Trank,
„Giebt mir Kleider und Schuh'
„Und viel Küsse dazu,
„Und ist mir so gut
„Wie's kein Andrer thut.
„Drum lieb' ich's so sehr,
„Kann gar nicht sagen, wie sehr, wie sehr!"

N. n.
N. n.
Nachtwächter

N n N n N n

Nachtwächter.

Hört ihr Kinder und laßt euch sagen:
Die Glock' hat Neun geschlagen!
  Die Lämmer sind schon längst im Stall,
  Im Nest die Vöglein allzumal;

Drum lasset euer Spielzeug stehn,
'S ist hohe Zeit zu Bett zu gehn,
Und lobet Gott den Herrn!

Hört ihr Kinder und laßt euch sagen:
Die Glock' hat Zehn geschlagen!
Die Lämmer schliefen ruhig ein,
Sie können ohne Sorge sein:
Im Hofe wacht der treue Hund,
Der macht um ihren Stall die Rund',
Läßt keinen Wolf hinein.

Hört ihr Kinder und laßt euch sagen:
Die Glock' hat Elf geschlagen!
Gar lieblich ist der Vöglein Ruh',
Ihr Mütterlein, es deckt sie zu
Mit beiden Flügeln früh und spät,
Wenn kalt die Nacht um's Nestchen weht.
Das liebe Mütterlein!

Hört ihr Kinder und laßt euch sagen:
Die Glock' hat Zwölf geschlagen!
Auch eure Eltern ruhen beid'
Im Bette schon seit langer Zeit;
Doch schlafen sie nicht alsogleich,
Sie sorgen treulich noch für euch.
Ihr schlaft und hört es nicht!

Hört ihr Kinder und laßt euch sagen:
Die Glock' hat Eins geschlagen!
So viele Kinder auf der Welt,
So viele Stern' am Himmelszelt,
So viele Engel im Himmelsraum,
Die bringen euch manch' schönen Traum
Von oben mit herab.

Hört ihr Kinder und laßt euch sagen:
Die Glock' hat Zwei geschlagen!
Und mit dem blanken Sternenheer
Kam auch der liebe Mond daher
Und steckte sein Laternchen an,
Doch schlich sich wo ein Dieb heran,
Den jagt er schnell davon.

Hört ihr Kinder und laßt euch sagen:
Die Glock' hat Drei geschlagen!
Und bleibt der Mond einmal zu Haus
Und sagt: „Nun schlaf' ich auch 'mal aus."
Da bin ich hier, der euch bewacht,
Laut blas' ich durch die stille Nacht
Und lobe Gott den Herrn!

Hört ihr Kinder und laßt euch sagen:
Die Glock' hat Vier geschlagen!
Was hilft doch aller Menschen Macht,
Wenn Gott der Herr sie nicht bewacht?

Vor Krankheit und viel andrer Pein
Bewahrt nur einzig er allein,
  Drum lobet Gott den Herrn!

Hört ihr Kinder und laßt euch sagen:
Die Glock' hat Fünf geschlagen!
  Horcht auf, es krähet schon der Hahn
  Und ruft: „Erwacht, der Tag bricht an!“
  Die Lerch' ist längst zum Nest heraus,
  Der Wächter aber geht nach Haus
    Und Alles lobt den Herrn!

Obst
O. o.
. o . O
KRUGER

Ɔ ɒ O o O o

Das Obstbäumchen und der Ochse.

Nach langer Regenzeit war wieder einmal ein schöner Tag; die Sonne schien und die Vögel sangen. Da kamen drei Kinder, der Hans, der Franz und die Lisbeth hinausgesprungen in den Obstgarten, um dort zu spielen; Hans mit seiner Armbrust, Franz mit seiner Peitsche und Lisbeth mit ihrer alten lieben Puppe, der aber schon der eine Arm fehlte. In dem Garten vergaßen sie aber bald ihr Spiel, denn dort gab es viel wichtigere Dinge zu thun. Die Früchte auf den Obstbäumen waren in der letzten Zeit reif geworden und eben war der Vater mit seinen Leuten damit beschäftigt, die Aepfel, Birnen und Pflaumen von den Zweigen zu schütteln. Das war nun ein rechter Jubel für die Kinder, denn sie mußten das abgeschüttelte Obst auflesen und in Körbe tragen, und daß dabei auch tüchtig geschmaust und gelacht wurde, kann man sich denken.

Alle übrigen Bäume des Gartens gaben auch willig ihr Obst her, nur ein junges Bäumchen, das ganz abgesondert am Ende des Gartens stand, war eigensinnig und geizig und dachte in seinem Sinne: „Ich sehe nicht ein, warum ich meine Aepfel hergeben soll; die will ich für mich behalten und sollten sie mir auch an den Zweigen vertrocknen.“ Und gerade dieses Bäumchen gehörte den drei Kindern.

Nachdem nun diese eine Weile bei dem Schütteln der andern Bäume tüchtig geholfen hatten, fiel es ihnen ein, auch einmal nach ihrem Bäumchen zu sehen; sie liefen daher um die Wette nach ihm hin. Siehe, da hingen ganz oben in seinem Gipfel die schönsten Aepfelchen, die hatten so frische rothe Bäckchen, wie die Kinder selber.

Da faßten sich die drei Kinder an der Hand, tanzten im Kreise um's Bäumchen herum und sangen:

Bäumchen, Bäumchen, wir bitten sehr,
Gieb uns Deine Aepfelchen her!
Und willst Du Dich nicht schütteln,
So werden wir Dich rütteln!"

Aber das Bäumchen stand ganz still und schüttelte nur ein ganz klein wenig die Zweige, doch nicht um die Aepfel herzugeben, sondern weil es damit sagen wollte: „Die geb' ich euch nicht her!" Die Kinder faßten also das Bäumchen um den Stamm und rüttelten tüchtig d'ran herum. Aber auch das half nichts, denn das Bäumchen blieb bei seinem Sinn und dachte: „Rüttelt ihr nur immer zu, ich werde meine Aepfelchen schon festhalten."

Als die Kinder sahen, daß sie so nichts ausrichteten, gedachten sie's einmal auf eine andere Weise anzufangen: „Warte," sprach Hans, „dich will ich schon bekommen; Pfeilchen, hol' mir ein Aepfelchen her!" und damit nahm er die Armbrust und schoß seinen Pfeil gegen den einen Apfel in den Baum hinauf. Aber das Aepfelchen kam nicht und der Pfeil kam auch nicht herunter, denn das Bäumchen hielt ihn mit seinen Zweigen fest. Da stand nun der Hans, wußte nicht, was er sagen sollte und sah traurig nach seinem Pfeil hinauf.

Da sprach Lisbeth: „Warte, dich wollen wir schon bekommen! Puppe, hol' mir das Pfeilchen her!" und damit nahm sie die alte Puppe an ihrem einen Arm und warf sie gegen den Pfeil in den Baum hinein. — Aber das Aepfelchen kam nicht, der Pfeil kam nicht und die Puppe kam auch nicht, denn auch die hielt das Bäumchen mit seinen Zweigen fest. Und da stand nun auch Lisbeth und sah traurig nach ihrer Puppe hinauf.

Endlich rief Franz: „Warte, dich wollen wir schon bekommen! Peitsche, hol' mir die Puppe herunter!" Und damit warf er die Peitsche der Puppe nach. Aber das Aepfelchen kam nicht, der Pfeil kam nicht, die Puppe kam nicht und auch die Peitsche blieb oben, denn das Bäumchen hielt Alles fest.

Darüber wurden die Kinder sehr ärgerlich und fingen von Neuem an, das Bäumchen zu rütteln und diesmal noch viel stärker als früher, so daß ihnen der Schweiß von der Stirne lief. Darüber wurde auch das Bäumchen zornig, und da grade hinter der Hecke ein großer Ochse weidete, rief es dem zu:

„Du, Oechslein auf der Weide dort,
Komm, jag' mir doch die Kinderchen fort!
Und thust du den Gefallen mir,
Geb' ich die schönsten Blättchen dir."

Als der Ochse das hörte, nahm er sogleich den Kopf zwischen die Beine, streckte die Hörner vor sich her und lief, ohne sich rechts oder links umzusehen, grade auf die Kinder zu. Glücklicherweise sahen die ihn aber schon von Weitem daherkommen, ließen das Bäumchen los und sprangen mit lautem Schreien hinter den Zaun. Aber der Ochse war einmal in's Laufen gekommen, daß er nicht mehr anhalten konnte, und lief so gewaltig mit den Hörnern gegen das Bäumchen, daß er es um und um stieß. Da lag es nun mit allen seinen Aepfelchen, mit dem Pfeil, mit der Puppe und mit der Peitsche — und war mausetodt.

Als der Ochse sah, was er angerichtet, blieb er stehen und sah sich um. Erst machte er ein recht dummes Gesicht dazu, so dumm, wie nur ein ganz dummer Ochse es machen kann, dann aber fing er ruhig an, von den Blättern des Bäumchens zu schmausen. Aber das ging nicht so, wie er's wohl dachte, denn der Vater der drei Kinder kam hinzu und band ihn wieder an denselben Fleck an, wo er früher gestanden. Nun krochen auch Hans, Franz und Lisbeth hinter ihrem Zaune hervor und jammerten recht, wie sie sahen, was der Ochse gethan hatte. Als ihnen der Vater aber einen viel schöneren Apfelbaum versprach, wurden sie wieder fröhlich und guter Dinge, pflückten sich ihre Aepfelchen, nahmen ihr Spielzeug aus den Zweigen, sangen und sprangen, und schossen und spielten, daß es eine Lust war.

Das todte Bäumchen ward darauf in die Küche gebracht, in Stücke zerhackt und mußte nun mit seinem Holze den Kindern noch obenein eine Suppe kochen.

Hätte es hübsch die Aepfelchen hergegeben, so ständ's noch da und ihr Alle hättet's auch sehen können. Das aber ist jetzt vorbei, d'rum seht es euch nur wenigstens im Bilde da vorn recht ordentlich an.

P. p.
P. p.
RR
1
PFENNIG
1853
Pilger
Pfennig

P p P p P p

Pfennig.

In dem Münzhause, wo die Goldstücke, die Thaler und die Groschen gemacht werden, war eben ein Dukaten und ein Pfennig fertig geworden. Die lagen nun beide blank und sauber auf dem Tische dicht nebeneinander und der helle Sonnenschein flimmerte recht darauf herum.

Da sprach der Dukaten zum Pfennig: „Du Lump! geh' fort von mir! Du bist ja nur von gemeinem Kupfer gemacht und nicht werth, daß dich die Sonne bescheint. Bald wirst du schmutzig und schwarz auf der Erde daliegen und kein Mensch dich aufheben wollen. Ich dagegen bin von köstlichem Golde. Daher werde ich weit in die Welt hinausreisen zu großen Herren und Fürsten, werde große Thaten thun und zuletzt wohl noch einmal in die Krone des Kaisers kommen."

In derselben Münzstube lag auf der Ofenbank ein alter weiser Kater. Wie der das hörte, strich er sich bedächtig den Bart, legte sich auf die andere Seite und sprach dabei: „Umgekehrt ist auch was werth."

Und so geschah denn auch den beiden Geldstücken grade das Umgekehrte von dem, was der Dukaten gesprochen.

Dieser kam zu einem alten reichen Geizhals, der verwahrte ihn in seinem Geldkasten, wo er müßig und faul bei Andern seines Gleichen da lag. Doch als der Geizhals merkte, daß er selbst bald sterben werde, vergrub er all' sein Geld vorher in die Erde, damit kein Mensch es bekäme, und da liegt nun auch der stolze Dukaten noch bis auf diese Stunde, ist schwarz und schmutzig geworden und kein Mensch wird ihn jemals aufheben.

Der Pfennig dagegen sollte weit in der Welt herumreisen und zu hohen Ehren kommen, und das geschah also:

Zuerst bekam ihn der arme Münzbursche als Lohn; der brachte ihn nach Hause, und weil sein kleines Schwesterchen an dem blanken Stück große Freude hatte, schenkte er ihm den Pfennig.

Das Kind sprang damit in den Garten, um ihn der Mutter zu zeigen. Da hinkte ein alter kranker Bettler heran, der bat um ein Stückchen Brod. „Ich hab' keins," sprach das Mädchen. — „So gieb mir einen Pfennig, daß ich mir Brod dafür kaufen kann," sagte der Bettler. — Und das Kind gab ihm den Pfennig.

Der Bettler hinkte zum Bäcker. Wie er eben beim Laden stand, kam ein alter Bekannter als Pilger gekleidet, mit Mantel, Stab und Tasche, die Straße daher und gab den Kindern, die an dem Bäckerladen standen, schöne Bilder von heiligen und frommen Männern, wofür die Kinder Geld in die Büchse warfen, die er in der Hand hielt. Der Bettler fragte: „Wohin geht die Reise?"

Der Pilger sprach: „Viele hundert Meilen weit nach der Stadt Jerusalem, wo das liebe Christkindlein gewandelt und gestorben. Dort will ich an seinem Grabe beten und meinen Bruder loskaufen, der von den Türken gefangen ist. Dazu sammle ich erst noch Geld in dieser Büchse."

„So nimm auch mein Scherflein dazu," sprach der Bettler, gab dem Pilger den Pfennig und wollte hungrig, wie er gekommen, auch wieder weggehen, aber der Bäcker, der Alles mit angesehen, schenkte dem armen Manne das Brod, das er hatte kaufen wollen.

Nun wandelte der Pilger durch viele Länder und fuhr zu Schiff weit über's Meer zur großen Stadt Jerusalem. Als er dort angekommen war, betete er zuerst an dem Grabe des Christkindleins und ging dann zu dem türkischen Sultan, der seinen armen Bruder gefangen hielt. Er bot dem Türken eine große Summe Geldes, wenn er den Gefangenen frei gäbe. Der aber wollte noch viel mehr haben. Der Pilger sprach: „Dann kann ich Dir weiter nichts mehr anbieten, als diesen Kupferpfennig, den mir ein armer hungriger Bettler aus Barmherzigkeit gegeben hat. So sei auch Du barmherzig wie er, und das Kupferstück wird es Dir vergelten." Da erbarmte sich der Sultan, gab den Gefangenen frei und empfing von dem Pilger den Pfennig.

Der Sultan steckte das Kupferstück in seine Tasche. Nach einiger Zeit aber dachte er nicht mehr daran. Da geschah es, daß der Kaiser nach der Stadt Jerusalem kam und mit dem Sultan Krieg führte. Dieser schlug sich tapfer herum und ward auch nie verwundet. Einmal aber wurde ein Pfeil grade auf seine Brust abgeschossen, der traf ihn zwar, prallte aber von seinem Kleide ab, ohne ihn zu verletzen. Der Sultan wunderte sich darüber, und als man nach der Schlacht das Kleid untersuchte, fand man in der Tasche den Kupferpfennig, an dem war der Pfeil abgeprallt. Da hielt der Türke den Pfennig hoch in Ehren und ließ ihn mit einem goldnen Kettchen oben an seinen krummen Säbel befestigen. Später aber ward der Sultan selbst vom Kaiser gefangen genommen und mußte diesem seinen Säbel abgeben. So kam mit dem Säbel auch der Pfennig an den Kaiser.

Wie dieser einmal bei Tische saß und eben einen Becher voll Wein in der Hand hielt, sagte die Kaiserin, sie möchte auch gern einmal den türkischen Säbel sehen. Der ward herbeigebracht, und als der Kaiser ihn seiner

Gemahlin zeigte, fiel der Pfennig davon herunter und gerade in den Becher voll Wein. Der Kaiser hatte es wohl bemerkt und nahm daher, ehe er den Becher an den Mund setzte, den Pfennig heraus. Wie er ihn aber näher besah, war der Pfennig ganz grün geworden. Daran erkannten Alle, daß Gift in dem Weine wäre. Ein böser Kammerdiener hatte dieses hineingemischt, um den Kaiser zu tödten. Der Kammerdiener wurde daher zum Tode verurtheilt, doch den Pfennig ließ der Kaiser in seine Krone setzen.

So hat der Pfennig ein Kind erfreut, einem Bettler Brod verschafft, einen Gefangenen erlöst, einen Sultan vor Wunden geschützt und einem Kaiser das Leben gerettet. Dafür ward er auch in die Kaiserkrone gesetzt und ist gewiß noch jetzt darin. Wenn man die Krone nur zu sehen bekäme

Dr Quapp
aus
Quirlequitsch
Q. q.
Q. q.
Quacksalber

Q q Q q Q q

Quacksalber.

(Mel.: Ich bin der Doctor Eisenbart ꝛc.)

Ich bin der Doctor Quapp genannt,
Als Wunderdoctor weit bekannt;
Zumal die lieben Kindlein zart
Curir' ich auf besond're Art.

Hält sich ein Mägdlein schief und krumm,
Ist wo ein Büblein störrig, dumm:
Bringt sie zu mir, ihr lieben Leut'!
Ich mach' sie grade und gescheidt.

Ist wo ein Mägdlein naseweis
Und spricht, wovon es gar nichts weiß,
Die Salbe hier von dunklem Harz
Macht ihm sein Näschen rabenschwarz.

Das steckt es dann gewißlich nicht
In Dinge, die ein Andrer spricht,
Und bleibt in seiner Stube fein
Bis daß es wird curiret sein.

Ein Büblein, das nicht sitzen kann,
Schraub' ich an Tisch und Bänke an,
Da sitzt es fest, bis daß ich seh,
Daß es gelernt das A-B-C.

Hat Eines einen harten Kopf,
Den thu' ich hier in diesen Topf
Und sied' und koch' ihn butterweich,
Dann folgt es seinen Eltern gleich.

Ein Kind, das andre Kinder schlägt,
Dem wird sein Händchen abgesägt,
D'rauf setz' ich ihm ein andres an,
Das streicheln nur und herzen kann.

So heil' ich alle Kindlein zart
Nach meiner ganz besondern Art.
D'rum kommt ihr Kinder, kommt heran,
Daß euch curirt der Wundermann!

R r R r R r

Ritter.

Ein alter Ritter hatte ein Töchterlein mit Namen Gertrud, und weil sein Bruder gestorben war, so nahm er auch dessen Söhnlein, Namens Walther, zu sich in's Schloß und hielt diesen wie seinen eigenen Sohn. Die beiden Kinder lebten als wären sie Bruder und Schwester, spielten wo sie nur konnten mit einander und waren ein Herz und eine Seele. Als aber Gertrud eines Tages allein vor das Burgthor hinausging, um Blumen zu pflücken, kamen Zigeuner die Landstraße daher, stahlen das Kind und nahmen es mit sich fort. Keiner wußte, wo es geblieben. Darüber grämte sich Gertrud's alter Vater so, daß er starb und auch Walther weinte viel Tage und viel Nächte um seine Gertrud.

Als einmal ein warmer Frühlingstag kam und die Bäume zu knospen begannen, ging er hinaus in den Wald. Dort war ein schöner grüner Platz und unter den Bäumen sprudelte eine Quelle. An der hatte er oft mit Gertrud gesessen und kleine Schifflein von Nußschalen darauf treiben lassen. Auch jetzt setzte er sich daran hin, schnitt sich einen Haselstock für sein Steckenpferd und sprach dabei für sich: „Ach wär' ich doch ein Ritter, groß und stattlich, wie die, die immer zu meinem Oheim auf's Schloß kamen, da wollt' ich in die weite Welt reiten und Gertrud suchen." Indem hörte er neben sich etwas schreien und als er aufschaute, sah er einen Raben, der war zwischen zwei Baumstämmen so eingeklemmt, daß er sich nicht rühren konnte, und eine Schlange fuhr eben auf ihn los, um ihn zu fressen. Rasch nahm Walther seinen Stock, schlug die Schlange todt und befreite den Raben. Der aber flog auf einen Baum und sprach: „Schönen Dank, liebes Kind! Schönen Dank! Weil du mir das Leben gerettet, so wünsche dir etwas und es soll sogleich geschehen. Ueber's Jahr um diese Zeit sprechen wir uns dann wieder." —

Als Walther das hörte, merkte er wohl, der Rabe sei ein Zaubervogel und sprach freudig: „So möcht' ich ein Ritter sein mit Helm und Schild, mit Roß und Schwert!" Und wie er es gewünscht, so geschah es. Sogleich ward er ein großer, stattlicher Ritter, neben ihm stand sein Schild; aus seinem Steckenpferde ward ein stolzes Roß, das wieherte lustig in den Wald hinein, und um ihm zu zeigen, daß es kein Gespenst, sondern ein wirkliches Roß von Fleisch und Bein sei, hub es gleich an aus der Quelle zu trinken.

Walther wußte nicht, wie ihm geschehen und stand erst wie im Traume da. Bald aber fühlte er neues Leben in sich, schwang sich mit Jünglingsmuth auf sein Roß und ritt weit in's Land hinaus, die kleine Gertrud zu suchen.

Unterwegs hatte er, wie andere Ritter, viele Abenteuer zu bestehen. Immer gab es etwas zu kämpfen, bald mit wilden Thieren, bald mit anderen Rittern, die wie er im Lande umherzogen und sich freuten Jemand zu finden, mit dem sie sich schlagen konnten. Aber jedesmal blieb Walther Sieger, denn er war viel tapferer, als alle seine Feinde.

Endlich erblickte er vor sich auf einem Berge ein hohes Schloß, das gehörte einer Königin. Als er auf dem Gipfel des Berges angekommen war, sah er von weitem vor dem Schloßthore ein kleines Mägdlein sitzen,

Ritter
Roſs
Rr. Rr.

das mit seiner Puppe spielte, und als er näher zusah, war's die kleine Gertrud. Da gab er dem Pferde die Sporen und rief schon aus der Ferne: „Guten Tag, liebe Gertrud!" — aber das Kind kannte ihn nicht. Er kam näher und sprach: „Ich bin ja dein Vetter Walther!" Aber das Kind glaubte ihm nicht. Und als er vom Roß sprang, um die Kleine zu küssen und sein Harnisch, sein Schwert und seine Sporen dabei rasselten und klirrten, fürchtete das Kind, der fremde Mann möchte ihm etwas zu Leide thun, und lief in's Schloß hinein.

Darüber ward Walther sehr betrübt. Er ließ sich aber doch bei der Königin melden, die ihn auch sehr gnädig empfing. Er erzählte ihr Alles, wie es sich zugetragen und erfuhr auch von ihr, daß sie Gertrud von Zigeunern erkauft habe. Als er aber bat, sie möge ihm das Mädchen, als seine liebe Base, mitgeben, versprach sie es ihm nur unter der Bedingung, daß das Kind darein willige, denn auch sie hatte es von Herzen lieb gewonnen.

Darauf rief die Königin die kleine Gertrud herbei und sprach: „Sieh nur, das ist wirklich dein lieber Vetter, bist du ihm denn nicht mehr gut, und willst du nicht mit ihm ziehen?" Das Kind besah sich den Ritter von oben bis unten und sprach darauf recht betrübt: „Wenn ihr Beide es sagt, daß das der Walther ist, so muß ich's wohl glauben. Ach, wäre er noch klein, wie vor einem Jahre, da würde ich mit ihm ziehen in die weite Welt, wohin er nur wollte, aber so wie er da ist, mag ich's nimmermehr. Was hülfe es mir auch? Wollte ich wie früher mit ihm Versteck spielen, da würde sein Harnisch glänzen und seine Sporen klingen und ich wüßte gleich wo er wäre. Wollte ich mit ihm zur Schule gehn, da würd' er doch nicht neben mir sitzen können auf dem kleinen Bänkchen und an dem kleinen Tischchen! — Und was könnt' ich armes Kind einem so stattlichen Ritter wohl helfen? Wollt' ich ihm eine Suppe kochen, so würde ich mir meine Händchen verbrennen, wollt' ich ihm ein Kleid sticken, so würd' ich mich in meine Fingerchen stechen und wollt' ich mit ihm um die Wette laufen, so lief ich mir meine Füßchen wund. Ja, wenn ich selbst ein Königsfräulein wäre, da wär's was anderes."

Walther fühlte wohl, daß Gertrud die Wahrheit gesprochen, nahm daher Abschied von Beiden, schwang sich auf's Roß und ritt davon. Und die Königin und Gertrud schauten ihm von der Zinne des Schlosses nach.

Kaum war er einige Schritte geritten, da rief von einem Baume eine Stimme herab: „Walther! Walther!" und als er hinaufschaute, war es der Rabe, der sprach zu ihm: „Ein Jahr ist um, seit du wünschtest ein Ritter zu sein. Hast du einen andern Wunsch, so sprich ihn aus und er soll dir gewährt werden, aber merke wohl, was du dir früher erbeten hast, damit ist's dann vorbei."

Walther aber hörte die letzten Worte gar nicht mehr an, sondern fiel dem Raben in's Wort, sobald derselbe nur gesagt, er solle sich etwas erbitten. „So wünsch' ich denn," sprach er, „daß Gertrud ein Königsfräulein werde!"

Aber indem er das ausgesprochen, ward er selbst auch wieder in ein Kind verwandelt und sein Roß in ein Steckenpferd, wie es vor einem Jahre gewesen, und als er zur Zinne hinaufschaute, stand neben der Königin ein wunderschönes Königsfräulein, groß und schlank und prächtig, und das war seine Gertrud. Da ging der Knabe mit seinem Steckenpferde zur Schloßtreppe zurück und weinte bitterlich, aber die Königin fühlte Mitleid mit ihm, nahm ihn herein und suchte ihn zu trösten.

Das war aber jetzt wieder ein rechtes Elend. So sehr auch das Königsfräulein Gertrud und der Knabe Walther sich liebten, sie hatten doch wenig Freude dabei. Sprach Walther zu ihr: „Komm Gertrud, wir wollen über die Gräben springen und um die Wette laufen!" so erwiderte sie: „Ei bewahre, das schickt sich für kein Königsfräulein, was würden die Leute dazu sagen!" Sprach Walther zu ihr: „Komm, laß uns Versteck spielen," so rief Gertrud wieder: „Ei bewahre, das schickt sich für kein Königsfräulein, da würde mir meine Schleppe an den Dornen hängen bleiben und mein Krönchen vom Kopfe fallen.“ — Sagte aber Gertrud zu Walther: „Geh hin und schieß mir ein Reh für die Tafel,“ so brachte ihr Walther wohl eine Maus, aber kein Reh; und kam nun gar ein wilder Stier oder ein böser Hund auf sie zu, so mußte Gertrud den Walther auf den Arm nehmen und mit ihm entfliehen, denn sie war ja viel größer als er und lief daher auch viel schneller. Trotzdem blieb er im Schloß und die Königin gewann ihn von Herzen lieb.

Als wieder ein Jahr um war, saß Gertrud eines Morgens im Garten unter einem Baume und stickte, Walther aber spielte zu ihren Füßen. Da rief es wieder aus dem Baume: „Walther! Walther!“ und als der Knabe auffah, saß der Rabe auf einem Ast und sprach: „Nun kannst du dir noch einmal etwas wünschen und es soll dir gewährt sein. Dies ist aber das letzte Mal, daher bedenke dich wohl!“ Da besann sich Walther nicht lange und sprach: „So laß uns beide Kinder sein unser Leben lang!“

Und was er gewünscht, geschah alsobald, und Beide waren wieder Kinder wie zuvor. Darob waren sie von Herzen froh und spielten mit einander noch viel lieblicher, als je geschehen, und waren ein Herz und eine Seele.

Als aber wieder ein Jahr verflossen war und beide Kinder einmal im Garten saßen, Blumen pflückten und mit einander sangen, kam ein Engel vom Himmel herabgeflogen, nahm sie alle Beide auf seine Arme und trug sie hinauf in den himmlischen Paradiesgarten, und da sitzen sie noch jetzt beisammen, pflücken die köstlichsten Blumen und singen so wunderschöne Lieder, daß selbst die lieben Engel sich darüber freuen.

S ſ S s S ſ

Savoyarde.

Wenn man von hier wohl mehr als hundert Meilen weit reist, so kommt man in ein Land, das heißt Savoyen. Dort giebt es gewaltig hohe Berge mit dunklen Wäldern und blauen Seen, und auf den Bergen klettern lustig die Gemsen umher, das sind hübsche Thierchen, die theils wie Rehe, theils wie Ziegen aussehen und schöne blanke Augen haben. In den Thälern zwischen diesen Bergen wohnen gute, freundliche Leute; sie sind sehr arm, daher müssen sie oft schon als Kinder aus ihrem Lande auswandern, um auf allerlei Weise in der Fremde ihr Geld zu verdienen. Zu diesem Zwecke kaufen sie sich dann wohl einen Affen, eine Schildkröte, eine Drehorgel und dergleichen mehr, oder sie fangen sich auch weiße Mäuschen und Murmelthierchen, die richten sie zu allerlei Kunststücken ab, ziehen damit weit in der Welt umher und lassen sie für Geld sehen. So verdienen sie sich auf der Reise ihr Brod, bis sie in eine große Stadt kommen. Auch dort zeigen sie anfangs ihre Raritäten vor, suchen sich dann aber später häufig durch Stiefelputzen auf den Straßen ihr Brod zu erwerben. Meistentheils sind diese Leute sehr sparsam und sammeln sich von dem wenigen Gelde, was sie empfangen, so viel, daß sie nach einigen Jahren wieder zurückwandern können und ihren armen Eltern oft noch manchen Thaler mitbringen.

S. ſ. s.
S. ſ. s.
Savoyard
Seegen

1.

Vor längerer Zeit lebte in jenem Lande eine arme Frau mit Namen Magdalena. Ihr Mann war gestorben und hatte ihr nichts zurückgelassen als zwei Kinder, Nicola und Betta, und außerdem einen Affen, mit dem er selbst in den letzten Jahren umhergewandert war. Die Frau arbeitete so viel es ihr nur möglich war, vermochte aber doch nicht so viel zu verdienen, daß sie und ihre Kinder sich satt essen konnten. Das ward immer schlimmer, je größer die Beiden wurden, denn mit ihnen wuchs auch ihr Magen, und mit dem Magen ihr Appetit. Die Schule kannten die armen Kinder nur von außen, waren aber nie hineingekommen, denn erstlich kostete der Schulbesuch Geld, dann aber mußten sie auch noch den ganzen Tag der Mutter bei der Arbeit helfen.

Nun traf es sich, daß zwei Vettern der Frau Magdalena, Peppo und Checco, auf die Wanderschaft nach der großen Stadt Paris gehen wollten; Peppo mit einer Drehorgel und Checco mit einem Murmelthier. Sie kamen also zu ihr und sprachen: „Liebe Frau Base, was hilft euch doch das Hungern? Wenn ihr so fort arbeitet, so werdet ihr krank. Euer Nicola ist nun schon zehn Jahre alt, der kann, mit seinem Affen da, sich selbst sein Geld verdienen gehn. Laßt ihn daher mit uns wandern, wir wollen redlich für ihn Sorge tragen.“

Als Frau Magdalena solche Worte hörte, erschrak sie zuerst gar sehr bei dem Gedanken, sich von ihrem lieben Sohne zu trennen, und wollte gar nicht darauf eingehen. Nach reiflicher Ueberlegung aber fühlte sie wohl, daß es so am Besten sei und willigte endlich ein.

Die Stunde der Abreise kam heran. Frau Magdalena küßte ihren Sohn noch recht von Herzen, gab ihm ihren Segen und sprach: „Gott geleite dich, mein liebes Kind! Bleibe gut und fromm! Du wirst trübe

Tage auf deiner Reise erleben, dann verzage aber nicht, der liebe Gott wird sie dir zum Guten wenden; denn was er sendet, ist lauter Segen. Wie es dir aber auch gehen mag, denke stets an deine Mutter, die dich auf allen Wegen in Gedanken begleitet!"

Bei dieser Rede konnte Nicola kein Wort vor Traurigkeit sprechen; er faltete die Hände und die Thränen liefen ihm von den Backen herab.

Auch die kleine Schwester wollte den Bruder gar nicht fort lassen. Sie klammerte sich fest an ihn an und bat nur immer: „Ach bleibe hier, bleibe hier, Nicola!"

Wem aber der Abschied statt Leid nur Freude brachte, das war Pazetto, der Affe; denn Betta hatte ihm zu guter Letzt den schönsten Apfel geschenkt und den verzehrte er jetzt mit großem Appetit.

Unterdeß hatten draußen die Vettern schon lange gewartet. „Nicola!" riefen sie, „vorwärts! vorwärts! Es wird sonst zu heiß zum marschieren!" — Da fiel der Knabe seiner Mutter noch einmal um den Hals, nahm dann den Affen auf die Schulter, seinen Käfig auf den Rücken und wanderte fort nach der großen Stadt Paris.

Im Anfange kam ihm das Wandern recht sauer an. Die Hitze war groß und die Wege waren lang. Kiesel- und Feldsteine gab's am Wege genug, aber keine Braten und Kuchen, und an den Bäumen hingen auch grade keine Weinflaschen. Allmälig aber ward ihm das Wandern immer leichter, denn an hartes Leben war er auch zu Hause schon gewöhnt gewesen; und im Ganzen war's ja auch gar herrlich, so mit den Vögeln und Wolken lustig über Berg und Thal zu ziehen.

Mittags pflegten die drei Savoyarden gewöhnlich unter dem Schatten eines Baumes, oder an einer frischen Quelle Ruhe zu halten, und wenn dann die Mücken summten und die Magen brummten, holten sie ihr Schwarzbrod hervor, oder, wenn's hoch kam, ein Stück Käse, das sie im letzten Dorf bekommen hatten, und schmausten, daß es eine wahre Lust war, und auch das klare Wasser aus dem Bache schmeckte ihnen köstlich, denn das Wandern macht Durst. Der Affe aber und das Murmelthier durften sich nun gar nicht beklagen, die wurden ja obenein wie große Herren getragen und bekamen wahrlich nicht die schlechtesten Bissen. Lieber hätten die armen Jungen gehungert, als daß sie den Thieren, von denen sie sich ernährten, nicht reichlich zu fressen gegeben hätten.

War dann endlich das Mahl in die Speisekammer getragen, das heißt in die fünf Mägen spaziert, so trieben die Knaben gern noch ein wenig Kurzweil. Peppo spielte seine Drehorgel, Pazetto, der Affe, sprang dem Nicola auf den Kopf und kratzte ihn zum Zeitvertreib, obgleich es ihn oft gar nicht juckte, Checco aber tanzte mit seinem Murmelthierchen um die Wette und sang dazu:

„Murmelthier und Savoyard
Sind ein Pärchen ganz apart,
Tanzen Beide Menuett,
Tanzen Beide wundernett.
Savoyarde läuft,
Murmelthierchen hinkt,
Murmelthierchen pfeift,
Savoyarde singt:
Hopsa, hopsa, Juhaju,
Kommt ihr Leut' und schaut uns zu!" —

Waren nun grade keine Leute auf der Landstraße, so gab es doch meist Vögel im Baume, und die mögen sich auch wohl am Ende über die lustige Gesellschaft gefreut haben.

Abends aber, wenn die Bauern von den Feldern heim kamen, da kehr- ten die drei Knaben gewöhnlich in den Dörfern ein. Auch dort sangen sie dann wieder dasselbe Liedchen und nun kamen wirklich die Leute, Alt und Jung und ließen sich etwas vorspielen, vortanzen und vorsingen. Den meisten Spaß machte ihnen der Affe in seinem rothen Jäckchen. Er konnte aber auch die wunderlichsten Gesichter schneiden und war entsetzlich gefräßig. Da gaben sie ihm oft gute Bissen, zuweilen wickelte auch wohl ein lustiger Junge einen Stein in Papier und reichte es ihm hin. Das nahm Pazetto mit seinen langen schwarzen Fingern behutsam ihm aus der Hand, machte eine sehr wichtige Miene, besah es hin und her, beroch es hin und her und wickelte endlich mit Zähnen und Fingern ganz sorgfältig das Papier auf, als ob etwas sehr Köstliches darin sein müsse. Fand er dann endlich den Stein, so ward er böse und warf ihn ärgerlich dem Jungen, der ihn gefoppt, an den Kopf, daß die Bauern laut auflachten und die Kinder ringsum noch viel mehr. —

2.

Auf solche Weise zogen die drei Savoyarden Monate lang durch's Land. Bald gab es Regen, bald Sonnenschein, bald trafen sie freundliche Gesichter und offene Hände, bald mürrische Leute und verschlossene Thüren und Beutel, oft wurden sie gar noch mit Schimpfworten fortgewiesen. Heute schliefen sie auf der Ofenbank, morgen auf Stroh und übermorgen wohl auf Gottes grüner Erde. Mochte es ihnen zuweilen aber noch so schlimm ergehen, Nicola verzagte nicht, denn er dachte viel an die Abschiedsworte seiner Mutter. Endlich sahen sie an einem schönen Sommerabend die große Stadt Paris in der Ferne mit ihren vielen Thürmen, Palästen und Kirchen vor sich liegen.

Weil es sehr warm und doch noch weit von der Stadt entfernt war, machten sie wieder bei einem Brunnen am Wege Halt und trieben wie gewöhnlich ihre Kurzweil. Wie sie da saßen, kam auf einmal eine prächtige Staatskutsche die Straße daher gefahren, davor vier wilde Rappen, auf dem Bocke ein Kutscher mit einem dreieckigen Hute und hinten darauf zwei Bediente mit goldenen Tressen über und über bedeckt.

Aus dem Fenster der Kutsche sah eine schöne Dame heraus, die hatte ein kleines Mädchen auf dem Schooß, das Mädchen aber spielte mit einer Apfelsine.

Als die Dame die Knaben mit ihren Thierchen bemerkt hatte, befahl sie dem Kutscher zu halten, denn sie wollte dem Kinde gern eine Freude machen und ihm den Affen zeigen. Die wilden Pferde wollten erst gar nicht stehn, so muthig waren sie, und erst nach vielem Peitschen bekam sie der Kutscher zur Ruhe. „Du kleiner Savoyard," rief nun die Dame dem Nicola zu, „komm, zeig' einmal meiner Tochter dein Aeffchen!" — Rasch sprang Nicola mit seinem Pazetto auf den Kutschenschlag und zeigte das Thier. Der Affe war heute ganz besonders hungrig. Als er die Apfelsine sieht, springt er mit einem Satz in den Wagen und der Dame auf den Schooß; die Dame schreit, das Kind schreit, die Bedienten schreien, Nicola schreit, die Pferde aber werden wild, reißen den Wagen hin und her, Nicola stürzt vom Kutschenschlag, seine Vettern wollen die Pferde halten, die aber werden immer noch wilder und rennen mit dem Wagen, mit der Dame und mit dem Affen davon, daß der Staub nur so zum Himmel aufwirbelt.

Da lag nun der arme Junge mit einem großen Loch im Kopfe an der Erde. Die Vettern hoben ihn auf, wuschen ihm die Wunde, verbanden ihn, und so zogen alle matt und traurig in die Stadt Paris ein. Die Wunde schmerzte den Knaben nicht wenig, aber der Verlust seines Affen noch viel mehr.

3.

Die erste Zeit ging es dem Nicola recht schlimm unter all den vielen fremden Leuten. Die waren nicht so freundlich wie die Savoyarden daheim zwischen den schönen Bergen. Auch lernte er manche schlechte Menschen kennen, die wollten ihn zum Stehlen verführen, aber Nicola dachte an die Abschiedsworte seiner Mutter, blieb gut und brav und verzagte nicht. Seine Vettern borgten ihm Geld, dafür kaufte er sich Schuhwichse, Bürsten und einen Kasten dazu, putzte fleißig den Herren auf der Straße die Stiefel und nach einem Monate war er wieder gesund, lustig und guter Dinge.

Nun hatte er gewöhnlich seinen Stand vor einem Kaffeehause auf einem großen freien Gartenplatze. An demselben Orte standen auch viele Buden, worin es allerlei Schönes und Seltsames zu sehen gab. Da waren Kunstreiter, wilde Thiere, Wachsfiguren, Riesen und Zwerge und viele andre seltene Dinge mehr. Das gab da immer einen gewaltigen Lärm! Schon von draußen hörte man den ganzen Tag nichts als Pauken, Trompeten, Brüllen, Schreien und Erklären, Alles durcheinander.

Zwischen allen den Buden stand auch eine, die war bisher immer verschlossen und Niemand darin zu sehen gewesen. — Eines Morgens kam Nicola wieder wie gewöhnlich mit seinem Wichskasten an. Wohl sechs Herren ließen hinter einander sich von ihm die Stiefel reinigen und der Junge putzte ohne aufzusehen, daß die Stiefel wie die Spiegel glänzten. Drauf ruhte er ein wenig aus, sah sich um und seine Blicke fielen auch auf die leere Bude. An dieser wurde eben eine große Leinewand herausgehängt, worauf lauter Affen gemalt waren. Einige davon ritten auf Pudeln, andere schossen Kanonen ab, einige spielten Karten, andere tranken mit einander Thee und so weiter. Indem wird auch die Thüre der Bude aufgemacht und ein Affenwärter kommt mit einem kleinen Aeffchen in rother Jacke heraus, das befestigt er an einer Kette über der Thüre der Bude, damit es durch seine Sprünge die Leute anlocken solle, und geht dann wieder in die Bude hinein.

Da ruft Nicola: „Pazetto! bist du es?“ und kaum hat er das gerufen, so springt der Affe vor Freuden so hoch, daß die Kette zerreißt, setzt mit ein paar Sprüngen über die Straße und mit einem Satze seinem kleinen lieben Herrn auf die Schulter. Das war eine Freude für alle Beide! Der Affe konnte gar nicht mit Lecken aufhören, der Junge gar nicht mit Streicheln und Liebkosen.

Aus dem Fenster der Bude hatte indeß der Besitzer der Affen Alles mit angesehen. Mit einer langen Peitsche kam er herausgelaufen und grade auf Nicola los. — „Bube, was thust du mit meinem Affen?“ fragte er. — „Er ist mein eigen,“ sprach der Knabe, „da seht nur, wie er mich lieb hat.“ — „Das lügst du, Spitzbube,“ rief der Affenbesitzer und wollte ihm das Thier wegreißen. Dieses aber biß den Mann so in die Finger, daß er ganz zornig darüber ward und die Peitsche erhob, um auf den Affen und auf den Knaben loszuschlagen. Unterdeß hatte sich ein großer Kreis von Leuten rings umher gebildet, davon fielen einige dem zornigen Manne rasch in den Arm und suchten ihn zu beruhigen. Der rief nun einen Polizeisoldaten herbei und erzählte ihm, was geschehen sei. Auch dieser glaubte, der Knabe habe den Affen stehlen wollen, faßte ihn am Kragen und wollte ihn in's Gefängniß führen. Aber auch ihn biß der Affe in die Hand und wollte nicht leiden, daß man seinem Herrn etwas zu Leide thue. Darüber gerieth der Soldat in Wuth, zog den Säbel und wollte das Thier todtstechen, doch Nicola hielt beide Arme vor und hätte sich lieber die Hände abhauen lassen, als daß er seinen Pazetto preisgegeben hätte.

Nun entstand auch unter den Leuten rings umher ein großer Lärm.

Einige standen dem Affenwärter bei und sprachen: „Wir sahen ja doch, daß der Affe aus der Bude kam,“ andere dem Nicola, die sagten: „Man sieht ja doch, daß das Thier dem Knaben gehört, sonst würde es ihn nicht so vertheidigen!“ — So zankten sich Alle hin und her, manche drohten den andern sogar mit Schlägen, was denn immer mehr Leute herbeizog, bis endlich die Straße ganz versperrt wurde.

Indem kommt eine prächtige Staatskutsche dahergefahren, mit vier wilden Rappen bespannt. „Platz da! Platz da!“ ruft der Kutscher, denn er konnte vor den vielen Leuten gar nicht weiter kommen. Die drängten und stießen sich, um Platz zu machen, so gut es ging, aber die Menge war zu groß, so daß der Wagen endlich halten mußte. „Was ist denn da!“ ruft ein vornehmer Herr aus dem Wagen heraus, „ist keine Polizei da?“ — Da tritt der Soldat an die Kutsche und berichtet ehrerbietig, was geschehen; denn der vornehme Herr war ein Prinz. — „Laßt mich doch den Savoyarden mit dem Affen sehen,“ sagte die Prinzessin, die neben ihrem Manne im Wagen saß. Man brachte den Knaben herbei und als sie ihn näher betrachtet, rief sie: „Ei, das ist ja derselbe Knabe, dessen Aeffchen vor einem Monate mir in den Wagen sprang! Lebst du armer Junge denn noch; ich fürchtete schon, mein Wagen hätte dich damals überfahren.“ — Nun mußte Nicola rasch Alles erzählen, was sich mit ihm seit der Zeit zugetragen. Aber auch der Affenbesitzer trat hinzu und versicherte, er habe das Thier von einer alten Frau an der Landstraße gekauft. Auch das war die Wahrheit, denn Pazetto war damals in der Angst bald wieder aus dem Wagen gesprungen, die Frau hatte das Thier eingefangen und an den Mann verhandelt. Der Prinz gab diesem das Geld, was er dafür forderte, sagte zum Nicola, er solle sich mit seinem Affen hinten auf den Wagen neben den Bedienten stellen und rief: „Vorwärts!“ Die Rappen zogen an und bald ging's in vollem Galopp weiter.

Wie Nicola nun so neben dem mit Gold besetzten Bedienten stand und alle Leute auf der Straße zu ihm heraufsahen, kam er sich recht stolz und vornehm vor und wagte doch kein Wort zu sprechen. Da hatte er denn Zeit genug, nachzudenken, was wohl der Prinz mit ihm vorhabe, und was seine Mutter und Betta und die Vettern dazu sagen würden, wenn sie ihn so hinten auf einer solchen Staatskutsche stehen sähen. Dabei besah er sich auch den Bedienten von oben bis unten, der sich so breit machte, daß der arme Junge kaum noch ein Plätzchen fand, wo er stehen konnte. Es war Alles sehr prächtig an dem Manne, nur seine Stiefel sahen gar nicht recht blank aus. — „Die würde ich schon besser geputzt haben," dachte Nicola und dabei fiel ihm plötzlich ein, daß er seinen Wichskasten vor dem Kaffeehause habe stehen lassen. Das machte ihn recht traurig, denn er konnte sich gar nicht anders denken, als daß der Prinz ihn als Stiefelputzer vielleicht in seine Dienste nehmen wolle.

Endlich fuhr die Kutsche durch eine lange Allee von dunkeln Kastanienbäumen und hielt vor einem großen Schlosse still. Sogleich kamen viele Lakaien aus der Thüre gelaufen und halfen den Herrschaften beim Aussteigen. Auch der Bediente, der hinten auf der Kutsche gestanden, war herabgesprungen, aber Nicola blieb noch immer mit klopfendem Herzen auf seinem Platze und wartete ab, was man ihm befehlen würde.

Die Herrschaften gingen nun in das Schloß und schienen ihn ganz vergessen zu haben. Niemand bekümmerte sich um ihn und so fuhr der Wagen mit ihm in den Stall. Der Kutscher stieg ab, übergab die Peitsche und Leine den Stallknechten und ging fort. Diese schirrten nun die Pferde ab; als sie aber den Savoyarden dort hinten stehen sahen, nahm der eine ihn am Arme und riß ihn unter Schimpfen und Fluchen herunter, und als er sich verantworten wollte, ergriff der andere sogar die Peitsche und jagte ihn zum Hofe hinaus.

So sah sich der arme Junge plötzlich wieder verlassen und allein mit seinem Thierchen auf der fremden großen Landstraße. Die Anstellung als prinzlicher Stiefelputzer war also nur ein schöner Traum gewesen! —

4.

Aber man hatte ihn doch nicht vergessen. —

Noch saß er weinend auf einer Rasenbank in der dunkeln Kastanien-allee, als ein Bedienter sehr eilig aus dem Schlosse ihm nachgelaufen kam und ihm sagte, er solle sogleich mit ihm in's Schloß zurückkehren. Der Diener führte ihn in den Garten, wo die Herrschaften in einer schattigen Laube sich eben an den Theetisch gesetzt hatten. Da mußte er erst seinen Affen vor der kleinen Prinzessin tanzen lassen und dann seine ganze Lebens-geschichte noch einmal recht ausführlich erzählen. Daraus ersahen der Prinz und seine Gemahlin, daß er ein guter, braver Junge sei und seine Mutter eine fromme, arbeitsame Frau, und so beschlossen sie, ihm alles Liebe und Gute zu erweisen.

Sie gaben ihn daher zum Förster in's Haus, schickten ihn in die Schule, schenkten ihm saubere Kleider und ließen es an nichts fehlen, um einen tüchtigen Menschen aus ihm zu machen. Dafür gab sich aber auch der Knabe viele Mühe, lernte in kurzer Zeit lesen und schreiben, so daß er schon in einem halben Jahre seiner Mutter einen Brief schicken konnte, worin er ihr sein Glück beschrieb; auch betrieb er alles das, was ein Förster erlernen muß, mit großem Eifer, so daß er bald als Jägerbursche in den Dienst des Prinzen eintrat.

Nach vier Jahren aber wurde er einmal recht krank. Er aß fast nichts, er trank fast nichts und dachte nur immer an seine gute Mutter, an Schwester Betta und an die schönen Berge daheim, auf denen die Gemsen lustig umherkletterten. Die Krankheit, die ihn so elend machte, war das Heimweh.

Da sprach eines Tages der Prinz zu ihm: „Nicola, mach' dich reise-fertig, du sollst mich auf eines meiner Schlösser begleiten, das weit von hier entfernt liegt. Da wirst du wohl wieder gesund werden."

So reisten sie denn über hundert Meilen bis an die Grenze von Savoyen, und als Nicola schon von ferne seine lieben, hohen Berge erblickte, wurde ihm viel wohler und freudiger zu Muthe.

Endlich langten sie am Ziele ihrer Reise an und hielten vor dem Schlosse still. Weil die großen Thorflügel des Hofes verschlossen waren, sprach der Prinz: „Springe vom Wagen, Nicola, und sage der Pförtnerin, daß sie öffnet.“ — Der Jägerbursche that, wie ihm befohlen, klopfte an's Fenster des Pförtnerhäuschens und rief eilig hinein: „Oeffnet rasch das Thor, der Prinz ist da!“ — Sogleich kam eine Frau heraus, die trug eine Haube, wie die Frauen in Savoyen sie zu tragen pflegen. Wie diese eben das Thor geöffnet und Nicola sie näher anschaute, siehe, da war es seine liebe Mutter. Da fielen sich die Beiden um den Hals, herzten und küßten sich, und wie nun auch gar noch Schwester Betta aus dem Garten daher gesprungen kam, waren alle Drei so glücklich, daß sie den Prinzen in seinem Wagen ganz vergaßen.

Der aber nahm es nicht übel, sondern freute sich mit ihnen; denn er hatte heimlich dem Burschen solches Glück bereitet und Frau Magdalena mit ihrer Tochter auf das Gut hinkommen lassen. Von dieser Stunde an war Nicola wieder frisch und gesund.

Später, als der Förster gestorben, ward Nicola an dessen Stelle auf dem Gute des Prinzen angestellt, seine Mutter blieb als Pförtnerin und seine Schwester als Wirthschafterin ebenfalls dort.

5.

Es waren grade sieben Jahre verflossen, seitdem der Förster Nicola aus seiner Heimath nach Paris ausgewandert, als er an einem schönen Herbstabende eben von der Jagd zurückgekehrt war und nun fröhlich mit seiner Mutter und Schwester in der Weinlaube des Forsthauses saß. Das

Haus lag kühl und schattig unter hohen Tannenbäumen im Walde, nicht weit von der Landstraße, die beim Schlosse vorbei nach Savoyen führte. Auch der Affe, jetzt der Prinzessin zugehörig, kauerte auf seiner Schulter und aß mit großem Appetite die Nüsse, die Betta ihm aufknackte. Das lustige Thier, das früher seinen Herrn treulich ernährt, war jetzt schon alt und schwach geworden und daher wieder bei dem Förster in die Kost gegeben. Während die drei guten Leute nun so heiter und traulich zusammen plauderten und alles dessen gedachten, was sie seit sieben Jahren in Freud und Leid erlebt hatten, klangen plötzlich fern von der Landstraße die Töne einer Drehorgel herüber. Nicola horchte auf und auch Pazetto wurde unruhig. Die Töne kamen immer näher, bald vernahm man auch noch einen Gesang von zwei Männerstimmen, und endlich waren ganz deutlich die Worte des Liedes zu verstehen. Sie sangen:

„Murmelthier und Savoyard
Sind ein Pärchen ganz apart,
Tanzen beide Menuett',
Tanzen beide wundernett."

„Das ist Peppo und Checco," rief Nicola, sprang jubelnd von der Bank auf, setzte sein Jägerhorn an den Mund und blies, als die Beiden geendet, dieselbe Weise laut in die Luft hinaus, daß es aus dem stillen Walde gar lieblich widerhallte. Und wie Nicola gesagt, so war es auch. Seine beiden Vettern, die sich in Paris manchen Thaler verdient, wanderten jetzt nach ihrer Heimath zurück und hatten zufällig diese Straße gewählt. Nicola lief ihnen entgegen und es gab ein recht frohes, fröhliches Wiedersehen. Auch Frau Magdalena und Betta hießen die beiden braven Landsleute auf's Herzlichste willkommen. D'rauf ward das Beste, was in Speisekammer und Keller zu finden war, aufgetragen, und bei einem Glase

Wein gab es bald so Manches zu erzählen, zu singen und zu lachen. Als endlich Peppo zuletzt noch seine Drehorgel spielte, wurde auch Pazetto wieder ganz lustig, nahm den ersten den besten Zweig von der Erde auf, legte ihn über die Schultern und tanzte damit nach gewohnter Art, so gut es bei seinem hohen Alter gehen wollte. So saßen sie Alle bis spät in die Nacht hinein beisammen und waren fröhlich und guter Dinge.

Am andern Morgen, als die Vettern wieder weiter ziehen wollten, sagte Checco zur Frau Magdalena: „Nun seht einmal, Frau Base, was das für ein guter Rath war, als wir euch vor sieben Jahren riethen, euren Sohn Nicola mit uns nach Paris wandern zu lassen. Damals hieltet ihr's für ein großes Unglück und doch ward euer Glück dadurch begründet.“ — „Ei ja wohl,“ sprach die Frau, „ihr habt schon recht und nächst dem lieben Gott, der Alles so wunderbarlich gefügt, dank' ich auch euch noch immer von ganzem Herzen dafür.“ —

D'rauf nahmen die Vettern Abschied und wünschten dem Nicola und den Seinen auch ferner allen Segen des Himmels, den sie nur irgend verdienten, und der ward ihnen ihr Leben lang in vollem Maße zu Theil.

T t T t T t

Tanz.

In dem Wald steht ein Haus,
Schaut der Hansel heraus,
Gehen Kinder vorbei,
Sind lustig alle drei.
Juchhei! Juchhei!
Sind lustig alle drei!

Tt. Tt.
Tanz

Und da ruft nun der Hans:
„Ihr Kinder, zum Tanz!
Zwar bin ich nicht jung,
Aber lustig genung.
    Juchhei! Juchhei!
Aber lustig genung.“

Und da kommt er heraus,
Und da tanzen sie drauß’,
Tanzen hin, tanzen her,
Die Kreuz und die Quer.
    Juchhei! Juchhei!
Die Kreuz und die Quer!

Und wer spielt dazu auf?
Ei schau’ nur hinauf!
Sitzen Vögel im Strauch
Und Eichkätzchen auch.
    Juchhei! Juchhei!
Und Eichkätzchen auch.

Die pfeifen und klappern,
Die klimpern und plappern,
Und die Bienen, die summen,
Und die Fliegen, die brummen.
    Juchhei! Juchhei!
Und die Fliegen, die brummen.

Und der Hansel muß singen,
Und die Kinder, die springen,
Und die Röcke, die fliegen,
'S ist ein wahres Vergnügen!
Juchhei! Juchhei!
'S ist ein wahres Vergnügen!

U u U u U u

Uhu.

Zwei Kinder eines armen Köhlers, Brüderchen und Schwesterchen, gingen eines Morgens mit ihrem Körbchen am Arm in den Wald, um Erdbeeren zu suchen. Die beiden Kinder hatten sich recht innig lieb und konnten eines ohne das andere gar nicht leben. Daher kam es denn, daß man sie nur beisammen sah, und wo sie einander etwas zu Liebe thun konnten, da waren sie von Herzen froh.

Als sie nun so in dem engen Waldthale ihre Beeren suchten, lief ihnen plötzlich ein Eichkätzchen über den Weg. „Ach, Eichkätzchen, wär'st du doch mein!“ rief das Schwesterchen. — Kaum hatte sie das ausgesprochen, da lief auch schon das Brüderchen nach, um es für's Schwesterchen zu fangen. Das Eichkätzchen aber sprang von Strauch zu Strauch immer weiter in den Wald hinein und endlich kletterte es an einem hohen Tannenbaume in die Höhe. Das Brüderchen dachte: „Da komm' ich dir auch wohl nach!“ Als es aber bis auf den ersten Ast sich ihm nachgeschwungen, husch! sprang das flinke Thierchen an ihm vorbei auf einen Eichbaum, der nicht gar weit davon stand.

Da saß nun der Knabe auf seinem Aste und besann sich, was er dabei thun sollte, als es plötzlich unter ihm im Busch raschelte und ein altes Mütterlein daraus hervortrat. Die Alte sah recht garstig und widerwärtig aus, denn sie hatte grüne rollende Augen, eine spitze lange Nase, die ihr wie ein Schnabel über das Kinn hing und auf dem Kopfe trug sie eine Art Kapuze von Federn, die zog sich ihr tief in's Gesicht und bis über die Ohren herab.

„Ei du fein's Knäblein," rief sie zum Brüderchen hinauf, „wie kannst du so wacker laufen und klettern! willst du mir wohl einen Dienst erweisen?" Dem Brüderchen grauste es recht vor der Alten, es blieb daher auf seinem Aste und fragte, was sie begehre? — „Bring' mir das Vogelnest dort neben dir, mit den hübschen Eiern darin!" sprach die Alte. Der Knabe, wie er sah, daß die Vögel, denen die Eier gehörten, voller Sorge und Angst um den Baum flatterten, wollte solches nicht thun, aber die Alte ward gar zornig, rollte ihre Katzenaugen, daß sie hell funkelten, und sprach: „Bringst du mir nicht das Nest, so bind' ich dich am Baume fest!" und dabei zog sie einen langen Strick mit einer Schlinge hervor. So blieb ihm denn nichts übrig, als der Alten ihren Willen zu thun und ihr das Nestchen zu bringen.

Kaum aber hatte er es ihr herabgebracht, da griff sie mit der langen knöchernen Hand, die wie eine Vogelkralle aussah, gierig nach den Eiern, steckte sie in den Mund und sog sie aus. Fast zu gleicher Zeit warf sie mit der anderen Hand dem Kinde die Schlinge um den Leib und sprach: „Nun hab' ich dich in meinem Dienst, du schmuckes Büblein! und wenn du dich beim Nestersuchen wacker hältst, sollst du's gut bei mir haben." Mit diesen Worten zog sie das Brüderchen wie ein Hündchen mit sich fort, es mochte bitten, weinen und sich sträuben, wie es nur immer wollte.

Unterdessen war das arme Schwesterchen in Sorge und Trauer um sein liebes Brüderchen fast gestorben und hatte so geweint, daß es kein

U . u.
U . u.
Uhu . Urwald.

Thränlein mehr finden konnte, und so viel nach ihm gerufen, daß es nur gerade noch so viel sprechen konnte, um den lieben Gott recht inbrünstig zu bitten, er möge ihm doch den Bruder wieder schenken. Drauf kam es doch wieder zu Kräften und dachte: „Nun gehe ich nicht eher heim, als bis ich mein Brüderchen gefunden.“ Damit stand es denn auf und ging in den Wald hinein.

Was ihm auf seinem Wege nur irgend von lebenden Wesen begegnete, die fragte es aus und sprach: „Habt ihr nicht mein armes Brüderchen gesehn?“ Aber die Singvöglein sangen, die Rehe sprangen, die Schmetterlinge flatterten, die Elstern schnatterten und wollte ihm doch keines Rede stehn. So ging's eine Weile fort. Da huschten endlich zwei grüne Eidechschen über den Weg, zierlich und manierlich, mit blanken Aeuglein und schlanken Schwänzchen, die mochten sich wohl auch recht lieb haben. Da sprach das Mädchen: „Ihr Thierchen, wenn ihr Geschwisterchen seid, so habt Erbarmen mit mir und helft mir zu meinem Brüderchen.“ Als die Eidechsen das hörten, schauten sie sich freundlich um, nickten mit den Köpfchen, wedelten mit den Schwänzchen und huschten eilig unter eine große Baumwurzel. „Sollte mein Brüderchen da drunter sein?“ sprach das Mädchen und schaute unter die Baumwurzel. Doch da lag nicht das Brüderchen, wohl aber ein kleiner kupferner Schlüssel, so grün angelaufen, wie die Eidechsen aussahen. Den nahm das Schwesterchen, legte ihn in ihren Korb und dachte: „Wer weiß, wozu der gut ist.“

Als es Mittag geworden, fing's an das Kind recht sehr zu hungern und zu dursten. Es konnte auch vor Müdigkeit kaum weiter gehen, setzte sich in's Moos und schaute weinend an den blauen Himmel hinauf. Da sah es zwei Täubchen fliegen, die schnäbelten sich im Fluge gar zärtlich, die mochten sich wohl auch recht lieb haben. Da sprach das Kind wieder: „Ihr Thierchen da oben, wenn ihr Geschwisterchen seid, so helft mir zu meinem Brüderchen!“ — Als die Täubchen das hörten, kamen sie rasch aus der Luft herunter und flogen in einen hohlen Baumstamm. Auch da schaute das Mädchen hinein, aber das Brüderchen war nicht d'rin; wohl aber ein Krüglein mit Wein und ein Semmelbrod. Die nahm das Schwesterchen heraus, trank davon ein Schlückchen, aß davon ein Stückchen und legte dann Beides in seinen Korb. „Wer weiß," dachte es, „wozu das gut ist."

Da fühlte es sich wieder gestärkt und ging weiter. Als aber die Dämmerung heraufkam, sah es zwei Leuchtkäferchen über den Weg fliegen, dicht nebeneinander, die mochten sich wohl auch recht lieb haben. Da sprach wieder das Kind: „Ihr Thierchen, wenn ihr Geschwisterchen seid, so helft mir zu meinem Brüderchen." Als die Leuchtkäferchen das hörten, flogen sie noch einmal so rasch und grade in das Loch einer Felswand. Aber auch da war kein Brüderchen d'rin, wohl aber ein Laternchen, das gab einen hellen Schein vor sich her. Das Schwesterchen nahm es heraus und dachte: „Wer weiß, wozu das gut ist." Und als es weiter ging, leuchtete das Laternchen gar hell auf den Weg und obenein flogen die Leuchtkäferchen immer vor ihm her, als wollten sie ihm den Weg zeigen.

Nun aber wurde der Wald immer dichter und dichter und der Himmel immer dunkler und dunkler. Uralte himmelhohe Eichenstämme ohne Laub und nur mit langem Moose bedeckt, streckten ihre Aeste durcheinander und über den Weg in die graue Luft hinein. Das war recht grausig anzusehen, denn zuweilen erschienen sie wie Riesen, die ihre Füße und Arme durcheinander schlangen, um in der stillen Nacht einen Tanz zu machen. Bei alle dem aber hatte das Schwesterchen keine Zeit, sich zu fürchten, denn es dachte ja immer nur an sein liebes Brüderchen.

Nun war es in dem Walde auch ganz stille geworden, kein Singvöglein sang, kein Rehlein sprang, keine Elster schnatterte, kein Schmetterling flatterte; die schliefen alle längst in ihren Nestchen. Auch der Abendwind hatte sich zur Ruhe gelegt, und der Mond stieg ganz leise zwischen den Wolken über dem Wald empor. Nun wurde es noch viel, viel stiller als vorher, so still wie es im Grabe sein mag, wenn man todt ist. Und in der weiten Runde hörte das Schwesterchen nichts als seine eignen Tritte.

Da erscholl plötzlich von weitem ein recht schauerlicher Ton, der rief immer: „Schuhu! Schuhu!“ und alsdann ward es wieder still. — Nach einem Weilchen rief es wieder: „Schuhu! Schuhu!“ und zugleich kamen ein paar helle Lichter dicht neben einander von weitem durch die Luft geflogen. Drauf wurde es wieder eine Weile still. — Aber mit einem Male rief es dicht über dem Schwesterchen ganz dumpf und heiser: „Schuhu! Schuhu!“ und ein großer Uhu mit funkelnden Augen flog im Kreise ihm über den Kopf. Das war ein schrecklich garstiges Thier. Sein Schnabel hing ihm wie eine lange spitze Nase herab, aber auf dem Kopfe und an den Ohren sträubten sich rauhe Federn in die Höhe.

Als das Schwesterchen das grausige Thier erblickte, wie das ihm immer tiefer und näher über den Kopf flog und seine beiden Augen immer heller funkelten, da überfiel es endlich doch eine große Angst und vor Schreck ließ es sein Laternchen zur Erde fallen. Das aber ging nicht aus, sondern das Licht darin flackerte hell auf, daß es einen hellen Schein gab. Davon ward der Uhu so verblendet, daß er ängstlich hin und her flatterte und endlich im Dunkel verschwand.

Nun aber kam dem Kinde wieder sein Brüderchen in den Sinn und bei dem Gedanken war alle Furcht verschwunden. Rasch hob es sein Laternchen auf und leuchtete damit um sich her. Da sah es, daß es vor einem alten Gemäuer stand, das war mit einer eisernen Thüre verschlossen. „Lieb Brüderchen, bist du darin?“ rief das Mädchen. Als aber nichts antwortete, suchte es dennoch, ob es kein Schloß fände. Es erblickte auch zwei kleine helle Pünktchen an der Thüre, das waren die Leuchtkäfer, und wo die saßen, war auch ein ganz kleines Schlüsselloch, grade nur so groß, daß das Schlüsselchen, das ihm die Eidechsen gegeben, hineinpaßte.

Als das Schwesterchen aufgeschlossen, sah es vor sich einen langen dunkeln Gang. „Brüderchen,“ rief es, „lieb Brüderchen, bist du darin?“ Aber es antwortete Niemand. Da faßte es sich ein Herz und ging mit seinem Laternchen immer fort, weit, weit hinein, und als es endlich um eine Mauerecke bog, siehe, da lag sein Brüderchen auf altem Stroh und schlief gar fest. Da küßte es dasselbe auf den Mund recht herzlich und rief: „Ach du mein liebes, liebes Brüderchen!“ Denn mehr konnte es vor Freud' und Leid nicht sprechen. Da erwachte das Brüderchen und fiel seinem Schwesterchen um den Hals und Beide weinten vor lauter Lust, daß sie sich wieder sahen.

Nun gingen sie Beide den langen Gang zurück, bis sie wieder in's Freie kamen. Dort ging ein kühler Wind und beide Kinder waren so matt vor Hunger und Durst, daß sie kaum weiter gehen konnten. Sie holten also Reisig, steckten es mit dem Lichtchen aus der Laterne an und erwärmten daran ihre Glieder. Das Schwesterchen aber holte den Wein und das Brod aus dem Körbchen, und als sie Beide davon gegessen und getrunken, fühlten sie sich so wunderbar gestärkt, daß sie beschlossen, sich gleich wieder auf den Weg zu machen und den schauerlichen Wald zu verlassen, um so bald als möglich zu ihren lieben Eltern heimzukommen.

Eben schickten sie sich auch dazu an und schon hatte das Schwesterchen sein Laternchen in die Hand genommen, da klang es wieder von weitem: „Schuhu! Schuhu!“ Drauf kam der Ton immer näher und näher und es dauerte nicht lange, so flog der gräuliche Uhu wieder über ihren Köpfen, aber diesmal schoß er auf's Brüderchen los, als wollte er ihm grade in die Augen fahren. Da hielt das Schwesterchen ihm rasch die Laterne vor die Augen. Davon ward der Uhu so geblendet, daß er erst zurückprallte, darauf hin und her flatterte, endlich ganz matt und taumelnd in das Reisigfeuer fiel und zuletzt vor ihren Augen darin elendiglich verbrannte.

Da rief das Brüderchen: „Gottlob! die böse Waldhexe ist nun todt! Nachts war sie ein Uhu und am Tage ein altes Weib. Die hat mich mit sich hierher geschleppt, damit ich ihr bei Tage Vogeleier suchen sollte. In der Dämmerung aber sperrte sie mich in den Keller, und als ich durch eine Mauerritze nach ihr hinschaute, sah ich, wie sie sich auf einen alten Baumast setzte und einschlief. Nach einer Weile fing sie an zusammenzuschrumpfen und ward immer kleiner und kleiner, aber ihre Nase wurde immer spitzer, ihre Augen immer funkelnder und ihre Federhaube immer struppiger und endlich ward sie in einen Uhu verwandelt. Ich aber war so müde und matt, daß mir endlich die Augen zufielen und ich in einen tiefen Schlaf sank, bis du mich endlich wecken kamst, du mein herzliebes Schwesterchen du!"

Als das Brüderchen das gesprochen, machten sich die Kinder auf und freuten sich, als sie sahen, daß die Leuchtkäferchen ihnen wieder den Weg wiesen.

So gelangten sie glücklich zum Walde heraus und zu ihren lieben Eltern heim, die dem lieben Gott recht von Herzen dankten, als sie ihre Kinderchen gesund und munter wiedersahen.

𝔙 𝔳 V v 𝔙 𝔳

Vogelsteller.

1.

Weit, weit von hier liegt ein großer grüner Wald, viel schöner als andere Wälder, der hatte in früherer Zeit die wunderbare Eigenschaft, daß alle Vögel, die sich darin aufhielten, nicht blos auf's Allerschönste singen, sondern auch wie Menschen sprechen konnten; kamen sie aber aus dem Walde heraus, so konnten sie wie andere Vögel nur ganz gewöhnlich singen und zirpen. Nur allein die Elster, die konnte überall sprechen.

Mitten in diesem Walde befand sich ein freier lichter Platz, auf dem eine uralte gewaltige Eiche stand; darauf kamen alle Abende die jungen Vögel aus dem ganzen Umkreise zusammen, sangen und sprangen von Zweig zu Zweigen, spielten und jagten einander und erzählten sich Alles, was ihnen am Tage passirt war. Eines Abends waren sie dort auch wieder beisammen und sangen lustig und guter Dinge ihr gewöhnliches Liedchen:

V v.
V. v.
Vogelsteller.

„Scheint Sonne durch die Aeste,
Fliegt Vöglein aus dem Neste,
Dreht hin und her sein Köpflein,
Wetzt hin und her sein Schnäblein,
Und singt in den grünen Wald hinein:
Heissa juchhei!
Wie ist doch das Vöglein so frei!"

Währerd sie das sangen, kam plötzlich die Elster hergeflogen, setzte sich in die oberste Spitze des Baumes und rief:

„Vöglein im ganzen Wald,
Groß und klein, jung und alt,
Lerche und Zeis'chen,
Rothkehlchen, Meis'chen,
Fink und Stieglitzchen,
Staar und Kibitzchen,
Kuckuk und Nachtigall!
Kommet her allzumal,
Schweiget fein, plaudert nicht,
Hört, was die weise Tante Elster spricht."

Als sie das gesprochen, rief ein alter Specht, der am Stamme des Baumes hackte: „Traut der geschwätzigen Elster nicht!" Die Vögel aber wurden ganz stille, knabberten noch leise ihre Knospen und Blätterchen herunter, die sie grade im Schnabel hatten, und hörten andächtig zu. Die Elster sprach: „Nun hört, was ich gesehen! Als ich nach der Seite des Waldes flog, wo die Menschen dahinter wohnen, da schaute ich unseren Feind, den Uhu, bei einer alten Hütte auf einem Baume festgebunden, so daß er sich nicht rücken, noch rühren konnte, und dicht daneben auf dem Boden war das herrlichste Futter gestreut. Morgen ganz in der Frühe laßt uns Alle dorthin fliegen, den garstigen Uhu mit unseren Schnäbeln tüchtig zerbeißen und dann von den ausgestreuten Körnern schmausen. Ihr könnt versichert sein, es ist kein Mensch in der Hütte. Heissa juchhei, wie ist doch das Vöglein so frei!"

Als sie ausgesprochen, rief der Specht wieder: „Traut der geschwätzigen Elster nicht!" Deshalb verboten die alten Vögel ihren Jungen, morgen mit der Elster dorthin zu fliegen, die aber hörten nicht darauf, und als sie zusammen nach Hause zogen, sagten sie einander in's Ohr: „Wir fliegen morgen doch mit ihr!" Darauf legten sich alle in ihren Nestchen zu Bette.

2.

Am andern Morgen saß der alte lustige Vogelsteller Peter mit seinen beiden Kindern Hans und Grete hinter seiner Hütte. Auf einem dürren Baume hatte er eine garstige Eule angebunden und daneben alle Zweige mit Leim bestrichen; unter das Netz hatte er schönes Futter gestreut und hielt nun den Faden des Netzes voller Erwartung in der Hand, um es sogleich zuziehen zu können, wenn sich ein Vogel hineinsetzen würde; damit er aber keine lange Weile hätte, hatte er sich sein kurzes Pfeifchen angesteckt und rauchte in die blaue Luft hinein. Da rauschte es mit einem Male durch die Luft. Voran kam die Elster geflogen und hinter ihr viele, viele Vögel; davon fuhren die stärkern gleich gegen die Eule los und setzten sich, um sie desto sicherer beißen zu können, auf die mit Leim bestrichenen Aeste, die kleineren aber fielen über das Futter her und pickten mit rechtem Appetit darin herum, aber ehe sie sichs versahen, zog der Vogelsteller das Netz zu und die kleinen naschhaften Dinger waren gefangen, und als die andern vor Schreck von dem dürren Baume auffliegen wollten, waren sie an den Leim festgeklebt und konnten nicht von der Stelle. Doch die böse Elster saß auf einem andern Baume, lachte alle aus und rief recht boshaft immerfort:

„Ihr Näscherchen, warum schmaust ihr nicht?
Ihr Häscherchen, warum zaust ihr nicht?
Wärt ihr nicht ungehorsam und dumm,
Flögt ihr jetzt frei in der Luft herum!“

Und nun kam der Vogelsteller, nahm die armen gefangenen Vögel und tödtete die, welche nicht singen konnten; die andern aber, die etwas rechtes gelernt und hübsch zu singen und zu pfeifen wußten, sperrte er in enge Vogelbauer und gab diese seinen Kindern, die sollten sie in's Haus tragen, um sie morgen zum Verkaufe nach der Stadt zu bringen.

3.

In der Kammer, wo Hans und Grete schliefen, waren auch die Bauer mit den gefangenen Vögeln hingestellt. Aber weder den Kindern, noch den Vögeln war es möglich, diese Nacht zu schlafen. Die armen Thierchen waren nicht mehr in ihrem schönen Walde und konnten daher nicht mehr sprechen, sondern nur pfeifen und zirpen, doch auch das wagten sie vor Angst kaum, saßen traurig auf ihren Sprossen und dachten heim an ihre lieben Eltern, gegen die sie so ungehorsam gewesen. Hans und Grete schliefen dagegen vor Freude nicht, denn eine solche Menge Vögel hatten sie noch nie nach der Stadt gebracht und nun dachten sie schon an das viele Geld, das sie ihrem Vater dafür zurückbringen würden. Ganz früh, noch vor Aufgang der Sonne, standen sie daher auf, luden die Vogelbauer mit den Vögeln auf die Schubkarre, Grete spannte sich vor, Hans schob die Karre vor sich her und fort ging's durch den Wald nach der Stadt.

Kaum waren sie in den Wald eingetreten, als plötzlich alle Vögelchen ihre Sprache wieder bekamen und in lautes Klagen und Jammern ausbrachen. Erst wußten die Kinder vor Schreck nicht, was ihnen geschah; sie ließen die Karre stehen und wollten fortlaufen, da aber die Vögel mit so hübschen feinen Stimmchen sie baten, dazubleiben, so faßten sie wieder Muth und setzten sich auf einen Stein neben der Karre hin, um anzuhören was die Thiere sprachen. Diese schrieen und weinten nun gar jämmerlich durcheinander, auch kamen dazu noch alle die alten Vögel ringsumher herbeigeflogen, setzten sich auf Bäume, Büsche und Blumen und jammerten so kläglich um ihre gefangenen Kinder, daß es der kleinen Grete recht zu Herzen ging und auch sie zu weinen anfing. Da rief Hans: „Grete, wenn du auch noch lamentirst, da werd' ich ja vor lauter Spectakel taub! Ihr kleinen dummen Dinger aber schweigt endlich einmal still und laßt hübsch Einen unter euch sprechen, damit man weiß, was ihr wünscht. Wer von euch will sprechen?"

Ein kleiner eitler Stieglitz drängte sich zuerst hervor, der rief: „Ich will's, ich will's." — Aber der Kibitz schob ihn fort und sagte: „I bitt's, i bitt's" (denn der sprach so etwas schwäbisch). Darüber ward der Kuckuk ärgerlich, er sah ihn über die Achsel an und schrie: „Kuck, kuck, was der will! Kuck, kuck, was der will!" Der Zeisig meinte: „I di wissen nicht, wie's ist, i di wissen nicht, wie's ist!" Aber die Lachtaube lachte sie alle aus und die Nachtigall weinte und klagte immerfort recht erbärmlich dazwischen.

„Dummes Geschrei!" rief Hans, indem er die Karre wieder in die Höhe nahm. „Grete, komm, laß uns weiter gehn!" Da riefen alle Vögel noch einmal: „Bitt', Bitt', Bitt', bleib hier! Bitt', Bitt', Bitt', bleib hier!"

und schwiegen dann ganz still, bis endlich unter den gefangenen Vögeln ein gelehrter Dompfaffe das Wort nahm und den Kindern alles erzählte, wie es sich zugetragen. Zuletzt bat er sie recht innig, sie doch fliegen zu lassen, denn es gäbe kein größeres Elend, als gefangen zu sein.

Jetzt wurde auch dem Hans recht mitleidig um's Herz, aber was war da zu thun? Ließen sie die Vögel fliegen, so bekamen sie kein Geld dafür, und weder der Vater, noch sie hatten etwas zu essen? So überlegten sie hin und her, bis endlich Hans sagte, er wolle den Vater herholen. Denn wie die Vögel versicherten, könnten sie ja nur hier im Walde sprechen. Das that er denn auch und Grete blieb indeß bei den Vögeln.

4.

Hans traf seinen Vater grade beim Holzhauen. Der alte Peter lachte erst seinen Sohn aus, als der ihm die wunderbare Geschichte von den sprechenden Vögeln erzählte. Da aber Hans es ihm fest versicherte, ging er endlich mit, bis er hinkam wo die Karre im Walde stand. Jetzt hub wieder der alte Spectakel an. „Haltet eure Schnäbel!" rief Peter mit donnernder Stimme und stieß aus seiner Pfeife einen gewaltigen Qualm aus. Wie das die Vögel hörten und sahen, wurden sie ungemein erschrocken, denn sie dachten an das Gewehr des Jägers, das auch so donnert und raucht und alle schwiegen mäuschenstill. Nur der alte Specht hatte noch Courage, flatterte dicht vor Peter hin und hielt an ihn eine lange Rede. Darin sagte er, wie es doch eine große Grausamkeit der Menschen wäre, die unschuldigen lustigen Vögel einzusperren, so daß sie dann endlich vor Gram in ihren Käfigen stürben, während daheim im Walde auch ihre Eltern sich zu Tode grämten.

Als Peter das und viele andere sehr vernünftige Reden vom Specht angehört, dachte er daran, wie es ihm zu Muthe sein würde, wenn sein lieber Hans und seine lustige Grete ihm entrissen und eingesperrt würden. Erst brummte er etwas vor sich hin, endlich sprach er: „Schon gut, schon gut, ihr habt ganz recht, aber soll ich denn verhungern? Ich bin nun einmal Vogelsteller, und habe in der Welt nichts weiter gelernt. Allenfalls kann ich noch Holz hacken, das ist aber auch Alles!“ —

„Ei!“ rief der Specht, „wenn das ist, da kann uns Beiden geholfen werden. Schau, hier im Walde steht ein alter dürrer Baum, der ist inwendig hohl und darin liegt ein Schatz, den die alte diebische Elster sich zusammengestohlen hat. Nun hacken wir Spechte schon seit langer Zeit, wenn sie nicht da ist, an dem Baume, können ihn aber nicht umhauen. Willst du unsere gefangenen Kinder fliegen lassen, so zeigen wir dir den Baum, du hau'st ihn um und wir theilen den Schatz!“ —

„Gut,“ sagte Peter, „so soll's sein!“

Drauf zeigte der Specht ihm den alten Stamm ganz in der Nähe, woran eben wieder viele Spechte hackten. Da rief Peter: „Fort, ihr gelbschnäbligen Holzhacker!“ und hieb mit dem Beile, das er grade in der Hand hielt, so kräftig in den Stamm, daß derselbe nach elf Hieben zu wanken begann, nach dem zwölften Hiebe aber lag der große Baum am Boden.

Sogleich erhoben sich alle Vögel über dem Stumpf in die Luft, um zu sehen, was darin wäre, und siehe da! da lag rechts ein großer Haufe Futter und links ein großer Haufe blanker Thaler. Alles jubelte vor Lust, aber der Specht rief: „Das Futter für uns, die Thaler für dich, und nun befreist du unsre gefangenen Kinder sicherlich.“ —

Eben wollten Hans und Grete die Käfige öffnen, siehe, da kam wie der Wind die böse Elster angeflogen. Wüthend setzte sie sich auf das gestohlene Geld und schrie:

„Mein Korn! mein Geld! mein Baum! mein Haus!
Wer's anrührt, dem hack' ich die Augen aus!“

Aber der Specht rief dagegen:

„Glaubt nicht, glaubt nicht,
Was die Elster spricht!
Weiß zu schwätzen,
Weiß zu hetzen,
Weiß Leut' zu belügen,
Kann Vögel betrügen,
Stiehlt Futter und Geld,
Taugt nichts auf der Welt!" —

„Taugt nichts auf der Welt!" schrieen alle übrigen Vögel und damit fielen sie über die Elster her und bissen sie todt.

Die beiden Kinder öffneten darauf freudig die Vogelbauer und alle gefangenen Vögel flogen heraus, schnäbelten sich mit ihren Eltern und Geschwistern, dankten Peter und den Kindern und ließen es sich zuletzt wohl sein beim Futter der Elster. Peter aber lud die Thaler auf die Karre, Grete spannte sich vor, Hans schob vorwärts und fort ging's nach Hause.

Drauf wurde Peter Holzhauer und ließ von dem Gelde seine Kinder in die Schule gehen, damit sie etwas rechtes lernten und nicht brauchten vom Vogelstellen sich zu ernähren. Niemals hat weder er noch die Kinder einen Vogel mehr gefangen, dafür sangen aber auch, wenn die Drei durch den Wald nach der Stadt gingen, die dankbaren Vögel ihnen die allerschönsten Lieder vor und erzählten ihnen die wunderbarsten Geschichten, die noch viel wunderbarer waren als diese.

W w W w W w

Wein.

Es waren einmal zwei Kinder, die hießen Kordelchen und Michelchen. Kordelchen war ein ganz klein bissel dumm, und Michelchen war grade nicht übertrieben gescheidt.

Eines Tages sahen die Kinder, daß ihre Mutter Wein trank. Da fragte Kordelchen: „Mutter, von welcher Kuh hast du den Wein gemolken?" — „Du Narr!" rief die Mutter, „der Wein kommt nicht von der Kuh, sondern vom Weinstock." Michelchen aber sprach: „Mutter, ich hab' heut ein' halbe Stund' unterm Weinstock gelegen und schaut immer hinauf nach den Beeren da oben, macht' auch den Mund auf, wie ich's immer thu', aber kein Wein ist mir in den Mund kommen." — Da seufzte die Mutter und sprach: „Ihr Dummköpf', der Wein wird so gemacht: Erst schneidet man die Weintrauben vom Stock, dann tritt man sie mit Füßen, drauf läßt man den Saft stehn und geht nach Haus, nach einem Monat aber sieht man wieder zu, und dann ist's klarer Wein.

Ein Monat war vergangen, da kamen die Kinder an einem regnerischen Tage mit einem Glase zur Mutter, in dem Glase aber war schmutziges Regenwasser darin. „Was habt ihr denn da?" fragte die Mutter. —

W. w.
W. w.
Wein

„Wein!“ antwortete Michelchen und lachte über's ganze Gesicht. — „Sprich nicht so dumm,“ schalt die Mutter, „wie soll denn die Schmutzbrühe da Wein sein?“ — „Ei doch!“ schmunzelte Kordelchen, „er ist nur nicht so klar als der, den du trinkst. Weißt du wohl, Mutter, vor einem Monate erzähltest du uns, wie man den Wein macht. Nun haben wir's grad' so gemacht. Wir gingen hinaus zum Winzer, der schnitt uns eine Weintraube ab, die traten wir mit Füßen, drauf ließen wir den Saft stehen und als wir heute nachsahen, war dieser Wein da, grad' auf derselben Stelle an der Erde, wo wir vor einem Monate die Weintraube zertreten haben.“

Da seufzte die Mutter, daß Michelchen so wenig gescheidt und Kordelchen ein bissel dumm war.

In der nächsten Geschichte aber sollt ihr noch mehr so kluge Dinge von Kordelchen und Michelchen hören.

X x X x X x

Xerxes.

1.

Die Schule war längst angegangen, aber Kordelchen und Michelchen waren noch immer nicht da.

Der Lehrer erzählte eben eine Geschichte von dem König Xerxes, als die beiden Kinder endlich hereintraten. Weil sie so spät gekommen, schalt er sie tüchtig aus und ließ sie zur Strafe an der Thüre stehn. Darauf fragte er sie: „Wißt ihr denn schon etwas vom König Xerxes?“ — „Ja wohl,“ sagte Kordelchen. — „Wir sehen ihn ja alle Tage!“ rief Michelchen. — „Dummes Zeug,“ schalt der Lehrer, „wo seht ihr ihn alle Tage?“ — „Bei unserm Onkel, dem Gastwirth,“ sprach Michelchen. — „Und wie sieht er denn aus?“ fragte der Lehrer. — „Recht garstig,“ sagte Kordelchen, „er hat einen langen Bart und sitzt auf einem großen Lehnstuhle. In der einen Hand hält er eine Kette und neben ihm stehen zwei grimmige Soldaten.“ — „Ja,“ fiel Michelchen ihr in's Wort, „und wenn es windig ist, pfeift und knarrt er immer so häßlich, daß ich jedesmal davor erschrecke.“ —

Alle andern Kinder lachten, aber der Lehrer merkte wohl, daß die Beiden das eiserne Wirthsschild an ihres Onkels Gasthause meinten, worauf

XERXES.
𝔛. 𝔵.
X. x.
W.H.KRÜGER.SC.

der König Xerxes im Bilde dargestellt war. Drauf sprach er: „Nun gut, von diesem Manne will ich euch jetzt erzählen. Xerxes war ein König in Persien, der vor mehr als zweitausend Jahren regierte. Einstmals führte er Krieg mit den Griechen und beschloß mit einem ungeheuren Heere ihr Land zu erobern. Um dort aber hinzukommen, mußte er über das Meer hinübersetzen, und weil alle seine Schiffe dazu nicht ausreichten, befahl er, eine große Brücke über das Meer zu bauen. Kaum war diese fertig geworden, so erhob sich ein furchtbarer Sturm und die Wellen zerbrachen die Brücke. Darüber ergrimmte der König so sehr, daß er in seinem aufgeblasenen und einfältigen Sinne beschloß, das Meer zu bestrafen. Er ließ deshalb eiserne Ketten in dasselbe versenken, damit die Leute glauben sollten, er mache es zu seinem Gefangenen, und befahl sogar, dem Wasser dreihundert Peitschenhiebe zu geben, als ob das Meer ein Mensch wäre und die Schläge fühlen könnte. Zu solchen thörichten Dingen kann Stolz und Aufgeblasenheit den Menschen führen.“ —

Als die Geschichte beendet war, fingen alle Schulkinder an heimlich zu lachen, zeigten mit Fingern nach Kordelchen und Michelchen und flüsterten sich leise in's Ohr: „Da sitzt der Herr Xerxes und die Frau Xerxes.“ — Das hatte folgende Bewandtniß:

2.

Als Kordelchen und Michelchen am Morgen zur Schule gegangen und an den kleinen Bach hinter dem Schulgarten gekommen waren, sahen sie, daß das Brett, über das sie sonst zu gehen pflegten, fortgenommen sei. Der Lehrer aber hatte allen Schulkindern strenge verboten, durch das Wasser zu gehen, damit sie sich nicht die Schuhe naß machten und davon krank würden.

Statt nun einen andern Uebergang über den Bach zu suchen, standen die Beiden da und sahen sich an. Michelchen sprach: „Kordelchen, was thun wir jetzt, daß uns die Schuh' nicht naß werden?" — Kordelchen sagte: „Michelchen, was machen wir jetzt, daß wir trockne Schuh' behalten?" — Drauf sahen sie sich wieder an und dachten lange und viel darüber nach, so viel, wie sie es in ihrem Leben noch nicht gethan hatten; Keinem wollte etwas Gescheidtes einfallen.

Endlich rief Kordelchen: „Michel, ich hab's! Schau, zuerst nehme ich dich auf den Rücken und trage dich durch's Wasser, da bleiben dir die Schuh' trocken, nachher nimmst du mich auf den Rücken und trägst mich durch's Wasser, da bleiben mir die Schuh' trocken, so behalten wir am Ende alle Beid' trockne Schuh'."

Michelchen freute sich recht über seine kluge Schwester, hockte sich ihr auf die Schultern und Kordelchen ging mit ihm, mir nichts, dir nichts, in's Wasser hinein. Als es mitten darin war, hielt es plötzlich still. — „Was ist, Kordelchen?" — „Ach, Michelchen, ich merke eben, daß mir meine Schuh' doch anfangen naß zu werden. Weißt was? Wart' hier ein bissel, ich will schnell zurückgehn und sie mir erst am Ufer ausziehen. Dann komme ich wieder und trag' dich mit bloßen Füßen weiter. So wird's gehen." — „Gut," sprach Michelchen, sprang in's Wasser hinunter, wartete dort mitten im Bach und Kordelchen ging an's Ufer zurück.

Als es sich eben die Schuhbänder auflöste, rief Michelchen plötzlich: „Ach, Kordelchen!" — „Was ist, Michelchen?" — „Ach, Kordelchen, ich merke eben, daß auch mir die Schuh' anfangen naß zu werden!" — „Dummer Michel!" rief Kordelchen, „komm her und mach's wie ich." Da patschte auch Michelchen zurück und machte es wie seine Schwester. Drauf nahmen sie Beide die Schuhe in die Hand und Kordelchen trug Michelchen hinüber.

Sie kamen auch glücklich drüben an, aber die Schuhe waren doch, wie sie wohl merkten, voll Wasser geworden. Was war nun zu thun, daß der Herr Schulmeister es nicht merke? Da war wieder guter Rath theuer.

Endlich rief Michelchen: „Kordelchen, ich hab's! Weißt was? Wir wollen alles Wasser, was noch in den Schuhen ist, im Bache abspülen, so merkt der Lehrer es gewiß nicht, daß sie naß gewesen sind." — Als Kordelchen das hörte, freute es sich recht über das kluge Brüderchen und Beide spülten einen Schuh nach dem andern von innen und außen recht tüchtig im Bache ab und immer, wenn einer abgespült war, zogen sie ihn gleich wieder an, und dachten, so wär's gut.

Als aber Michelchen eben den letzten Schuh abwusch, war er ungeschickt und ließ ihn aus der Hand gleiten, so daß ihn die Wellen forttrieben.

„Spring' ihm doch nach," rief Kordelchen, „und hol' ihn zurück!" — „Ach, Kordelchen, es geht nicht, da würde ja der andere auch wieder voll Wasser!" — „'S ist auch wahr, Michelchen! Nun schau aber einmal die Dummheit von so einem Bach! Einem den Schuh von der Hand weg zu nehmen!" — „Ja wohl," rief Michelchen ganz zornig, „der dumme Bach ist an allem Schuld!" Und sogleich brachen beide Kinder einige Ruthen vom nächsten Weidenstrauch, peitschten damit das Wasser und riefen fortwährend: „Du dummer Bach! Du dummer Bach! Du dummer Bach!"

Das Alles hatten einige andere Schulkinder von Weitem mit angesehen und mit angehört, waren, nachdem sie sich einen bequemeren Weg gesucht, früher zur Schule gekommen und hatten es ihren Kameraden erzählt. Seitdem nannten sie Michelchen nie anders, als: „König Xerxes" und Kordelchen: „Frau Königin Xerxes."

Y y Y y Y y

Und stellst du auf den Kopf dich schon,
Du findest nichts auf Ypsilon.

1.

Es ist lange Zeit her, da kam an einem schönen Sommerabende ein Maler aus dem Thore der Stadt herausspaziert. Man merkte ihm an, daß ihm allerlei Dinge im Kopfe herum zogen. Bald ging er langsam, bald schneller, bald sah er in die fernen blauen Berge, bald in die Blumen hinunter, die an den Gräben neben dem Wege blühten, und wenn er so eine Zeitlang dahingesehen, als ob er etwas suche, schüttelte er jedesmal traurig den Kopf und rief still vor sich hin: „Ich find's nicht, ich find's nicht!" — Kamen Ackersleute mit ihren Pflügen, oder Hirten mit ihren Heerden an ihm vorbei, so blieb er stehen und schaute ihnen lange nach; war an der Landstraße ein Thorweg offen, so sah er hinein in den Hof nach den Enten in der Pfütze, nach den Tauben auf ihrem Schlage, nach den Kindern, die in der Hausthüre spielten; aber immer schüttelte er wieder den Kopf und rief traurig aus: „Ich find's nicht, ich find's nicht!" —

y. Y. y.
y. Y. y.
Und stellst du auf den Kopf dich schon,
Du findest nichts auf Ypsilon!

So ging er eine Weile fort und gelangte endlich in einen schönen, großen Garten, der gehörte dem Könige, und mitten darin erhob sich ein herrliches Schloß, in welchem der König mit der Königin und seinen Kindern wohnte. Auch hier hatte der Maler wieder vielerlei zu sehen, denn da standen hohe, seltene Bäume und Sträucher mit bunten Blüthen und Früchten, darauf saßen Pfauen und andere fremde Vögel; auch breiteten sich helle Teiche dazwischen aus, auf denen stolze Schwäne umherschwammen und an den Ufern ringsumher lagen Gondeln, die waren reich vergoldet und glänzten weithin in der Abendsonne.

Als er das Alles angeschaut und endlich wieder aus tiefster Brust gerufen hatte: „Ich find's nicht, ich find's nicht!" hörte er plötzlich hinter einer Hecke Jemanden laut auflachen. „Wer lacht denn da?" rief der Maler und sprang hinter die Hecke, da sah er einen seltsamen Mann im Grase sitzen, so närrisch in Kleidern und Geberden, wie er noch nie einen gesehen; das war der Hofnarr des Königs. Der Mann lud ihn ein, sich zu ihm zu setzen, was denn unser Maler auch that, und nun wollen auch wir uns den närrischen Mann näher betrachten.

In alten Zeiten pflegten nämlich die Könige zu ihrem Nutzen und Vergnügen Leute zu halten, die ihnen auf die lustigste Weise einen guten Rath geben sollten, sie auch sonst, wenn sie verdrießlich waren, mit allerlei Scherzen und Einfällen aufheitern mußten. Diese Leute nannte man daher, obgleich sie oft sehr klug waren, Hofnarren oder lustige Räthe.

Ein solcher war es, der dort im Grase saß. Schon seine Kleidung war höchst possierlich. Die Beinkleider bestanden aus bunten Streifen, roth, blau und gelb, einer an den andern genäht; von seinem hellblauen Rocke hingen spitze Lappen herunter, an deren Enden klingende Glöckchen und Schellen befestigt waren; auf dem Kopfe hatte er eine Kappe, die an ihrer Spitze ebenfalls mit einer Glocke versehen war, so daß bei jeder Bewegung, die der Mann machte, alle die Glöckchen und Schellen klingelten, als wenn ein Schlittenpferd sich schüttelt. An seiner Seite hing die Pritsche, eine Art hölzerner Degen, auf dessen Knopf ein lustiges Gesicht geschnitzt war. Kurz, der Mann sah so aus, wie noch jetzt die Bajazzos in den Kunstreiterbuden, die ja auch die Leute durch ihre lustigen Einfälle und Geberden zum Lachen bringen sollen. Das Allerlächerlichste an dem Manne war sein Gesicht. Er hatte eine lange krumme Nase, kleine, blitzende Augen und einen großen Mund, den er nach allen Seiten hin verziehen konnte. Bald sah er jung aus, bald alt, bald machte er eine heitere Miene, bald ganz ernste Grimmassen, über die man aber doch auch wieder lachen mußte.

2.

Als der Maler sich zum Narren in's Gras gesetzt, begannen sie folgendes Gespräch:

Maler. Warum lachtest du eben?

Narr. Aus Aerger!

Maler. Wer ärgert dich?

Narr. Erst ich selber und jetzt du.

Maler. Und warum ich?

Narr: Weil du so viel fragst wie ein Narr und doch keiner bist. Denn es heißt: ein Narr fragt mehr, als zehn Kluge beantworten können.

Maler. Gut, so will ich schweigen.

Narr. Gut, so will ich antworten. — — —

Maler. Nun so antworte doch!

Narr. Nun so frage doch!

Maler. Warum lachtest du erst über dich?

Narr. Weil ich kein Narr mehr sein darf.

Maler. Und wer verbietet es dir?

Narr. Mein Herr, der König. Denn als er mich in seinen Dienst nahm, sprach er: „Du Narr! wenn ein Tag vergeht, an dem du mich nicht zum Lachen bringst, so jag' ich dich fort." Nun ist heute der Tag bald vergangen und mein Herr, der König, ist so verdrießlich, daß es mir bis jetzt unmöglich war, ihn aufzuheitern. Daher lachte ich erst aus Aerger über meine Dummheit, denn wenn kein Anderer über mich lachen will, so thu' ich's selber. Glaube nur, guter Freund, was der König einmal sagt, das erfüllt er auch, so wahr, wie du ein Lügner bist.

Maler. Wen belog ich denn?

Narr. Mich! Erst sagtest du, du wollest schweigen, und jetzt fragst du immerfort drauf los; also hast du gelogen.

Maler. Gut! so schweige ich.

Narr. Gut! so frage ich: Warum bist du so traurig, was verdrießt dich? Warum bist du nicht lustig? Warum läßt du die Lippen so herunterhängen? Warum? — — —

Maler. Hör' auf, ich antworte ja schon. Schau, lieber Narr, ich bin noch übler dran, als du. Mir hat der König geboten, ich soll zu einem A-B-C-Buche für seine Kinder allerlei Bilder machen, für jeden Buchstaben eines. Heute müssen sie fertig sein; sind sie es aber nicht, so läßt der König nichts mehr von mir malen und schickt mich vielleicht noch gar in's Gefängniß. Täglich ging ich vor's Thor hinaus und sah mich nach Gegenständen für meine Bilder um. Ich fand auch für alle übrigen Buchstaben die schönsten Dinge, die zeichnete ich gleich nach der Natur, oder merkte sie mir und machte zu Hause die Bilder danach. Nur für einen einzigen Buchstaben fand ich keinen Gegenstand, obgleich ich heute mich überall umgesehen habe. Siehst du wohl? Dort hinter dem Palaste geht bald die Sonne unter und je tiefer sie sinkt, desto höher steigt mein Unglück!

„Welcher Buchstabe fehlt dir?" fragte der Narr. — „Ach!" rief jener in der größten Verzweiflung: „Und stellst du auf den Kopf dich schon, du findest nichts auf Ypsilon!" — Der Narr lachte und sprach: „Nun, wenn's weiter nichts ist, das will ich schon machen und am Ende wird uns Beiden noch geholfen!" — Bei diesen Worten sprang er mit einem Satz von dem Rasen empor, schlug in der Luft einen Purzelbaum, daß alle Glocken an seinem Wamms flimmerten und klingelten und stand im Nu vor dem Maler auf dem Kopfe, indem er beide Beine in der Luft auseinander spreitzte. „Schau," rief er aus, „da steh' ich auf dem Kopfe schon, nun mal' nach mir dein Ypsilon! Seh' ich denn nicht ganz wie ein natürliches lateinisches Ypsilon aus? Mein Leib, das ist der große Stab daran, meine Beine, das sind die beiden Flügel, die das Ypsilon rechts und links von sich streckt, und nun mach' rasch, denn diese Positur erlaubt keine lange Weile. Glaub' nur:

Die Beine lieber auf Erden stehn,
Als in der Luft spazieren gehn,
Auch schießt mir's Blut in Wang' und Nas',
Und dazu krabbelt mich das Gras,
Daß ich muß niesen eins, zwei, drei;
Dann ist die Positur vorbei,
Und was ein Ypsilon erst war,
Wird wieder ein alter lustiger Narr!"

Unterdessen hatte der Maler schnell Bleistift und Papier hervorgeholt und in aller Geschwindigkeit den ganzen lustigen Rath, wie er leibte und lebte, abgezeichnet, grade so, wie ihr ihn da vorne auf dem Bilde zu sehen bekommt. Endlich aber kitzelte das feuchte, kalte Gras den armen Menschen so arg in die Nase, daß er ein Gesicht machte, wie ein Ziegenbock, dem man Tabak in die Nase streut, worauf er tüchtig nieste und mit einem Satz wieder auf die Beine sprang.

„So ein Menschenkopf ist doch ein hochmüthiges Ding, wenn der nicht immer oben sein kann, sondern einmal die armen Füße ablösen soll, da wird er puterroth vor Zorn und brummt von innen wie ein Brummkreisel!" Mit diesen Worten wischte sich der lustige Mann den Schweiß von der Stirn, aber der Maler fiel ihm um den Hals, und war überglücklich, daß er sein noch fehlendes Bild nun fertig bekommen hatte; auch dem Narren machte die Zeichnung des Malers vielen Spaß, so daß Beide vor Lust und Vergnügen im Grase umhersprangen wie junge Zicklein, wenn sie Morgens aus dem Stalle in's Grüne hinausgelassen werden. Weil aber die Sonne eben unterging, beeilte sich der Maler in's Schloß zu gehen und ließ sich von dem Hofnarren Alles sagen, wie er sich da zu benehmen habe.

Im Schlosse angekommen, fand er den König noch immer sehr verdrießlich. Er wurde etwas freundlicher, als der Maler ihm die Bilder zum A-B-C-Buche überreichte, und befahl dem Kammerdiener, seine Gemahlin und Kinder herbei zu rufen. Wie freuten sich diese, als ihr Vater ihnen die schönen Bilder in die Hände gab. Jubelnd setzten sie sich um den Tisch, sahen ein Bild nach dem andern mit vieler Lust an und buchstabirten die Wörter, die darunter standen, zum großen Vergnügen ihrer Mutter, der Königin. Als sie endlich das Ypsilon erblickten, lachten sie Alle laut auf. „Der Narr, der Narr!" riefen sie, „unser guter, lieber Narr!" und konnten vor lauter Lachen nichts weiter herausbringen. Auch der König wurde immer milder und milder, je länger er das Bild betrachtete, eine Falte nach der andern verschwand von seiner Stirn, sein Mund wurde freundlicher und am Ende mußte auch er so gewaltig lachen, daß er kaum aufhören konnte. Endlich kam er wieder zu Worten und rief ganz vergnügt: „Wie wohl ist mir doch, wenn ich nach dem vielen regieren wieder so recht von Herzen lachen kann! Leider konnte der dumme Hofnarr mich heute nicht dazu bringen, dafür habe ich ihn auch fortgejagt und er darf mir nicht mehr über die Schwelle!" Das hörte der Maler, besann sich nicht lange und erzählte dem Könige Alles, was ihm begegnet, auch stellte er ihm vor, daß grade der Narr es wäre, der ihn jetzt so aufgeheitert, indem er zu diesem Bilde sich auf den Köpf gestellt habe. Auch die Königin und die Kinder baten so dringend, daß der König nicht länger widerstehen konnte und versprach, er wolle ihm vergeben.

Kaum hatte er das ausgesprochen, da sprang hinter dem Vorhange der lustige Rath mit einem Satz in's Zimmer, machte einen Purzelbaum, stand in derselben Stellung, wie auf dem Bilde, vor dem König, und schnitt dieselben possierlichen Gesichter, als ob ihn das Gras in der Nase kitzelte. Hatte der König nun vorher schon lachen müssen, so lachte er jetzt noch viel mehr und die Königin, die Kinder, die Kammerdiener, der Maler, Alle, Alle mußten mit lachen, und das hatte nicht eher ein Ende, als bis das Abendessen auf dem Tische stand. Das schmeckte ihnen so gut, wie es sonst nie gethan. Darauf söhnte der König sich wieder mit seinem Hofnarren aus, von dem Maler aber ließ er so viele Bilder malen, daß er sein ganzes Schloß von oben bis unten damit ausschmücken konnte, wofür er ihn dann königlich belohnte.

W.
MDCCCXLV
Z Z.
Z. z.
Ziehbrunnen. Ziege.
FLEGEL

Z z Z z Z z

Hier steht nun schon, o weh! o weh!
Der letzte Buchstab' im A-B-C.
Da heißt es bald: Aus ist der Schmaus
Und alle Gäste gehn nach Haus.

Nicht wahr? ein Schmaus ist solch ein Buch,
Das hat der Schüsseln doch genug;
Denn statt der Braten giebt's Geschichten,
Die Lieder gleichen bunten Früchten,
Die Bilder gleichen den Blumen schön,
Die lustig auf der Tafel stehn,
Die Märchen sind die süßen Torten,
Und wie man wohl an allen Orten,
Mit Mandelkern und harter Nuß
Den reichsten Schmaus beschließen muß,
So nehmt für eure frischen Backen
Auch hier zwei Nüßlein noch zum knacken;
Doch wem zu hart sie möchten sein,
Dem knackt sie wohl sein Mütterlein.

Erstes Nüßlein.

Ich bin eine Schenke,
Doch schenk' ich kein Bier;
Nun denke!
Auch schenk ich nicht Wein,
Und glaube mir,
Auch nicht einen Tropfen Brantewein.

Mich bewohnen auch
Zwei Wirthe mit rundem Bauch.
Haben viel zu thun,
Können nimmer ruh'n.
Kommt der eine herauf aus dem Keller
Ganz schwer,
Geht der andre hinab um so schneller
Ganz leer.

Nun Kindchen, hör',
Ich sag' dir noch mehr.
Hast du gegessen eine salzige Wurst,
Oder Schinken,
Und hast du einen gewaltigen Durst
Und willst trinken:

Komm nur her,
Trinke so viel du willst,
Bis du den Durst dir stillst;
Und trinkst du ein ganzes Faß,
Und trinkst du und trinkst du ohn' Unterlaß,
Mein Keller wird niemals leer.

Was ist das für 'ne Schenke?
Nun denke!

Zweites Nüßlein.

Wie bin ich doch
So eigner Art!
Ich bin eine Frau
Und hab' 'nen Bart;
Hab' weißes Haar
So jung ich bin,
In meinem Kopf
Ist wenig drin;
Doch auf dem Kopf
Ist desto mehr,
Das dienet mir
Zu Schutz und Wehr.

Und machst du mich
Zur Gärtnerin,
Bleibt sicherlich
Kein Kohl in deinem Garten drin;
Doch schlägst du mich,
So hüte dich,
Ich wehre mich! —

Nun Kindlein, sprich,
Wie heiße ich?

Zu zu
mach's Buch zu!

Z = U: Zu, machs Buch zu!
abc
Aus ist der Schmaus die Gäste gehn nach Haus.

NACHWORT

von Ulrike Bessler

Das „ABC-Buch für kleine und große Kinder“ von Robert Reinick erschien in erster Auflage 1845 bei Wigand in Leipzig. Vorausgegangen war 1844 im gleichen Verlag ein ähnlich gestaltetes Kinderbuch, die „Ammenuhr“, eine illustrierte Ausgabe alter Ammen- und Kinderlieder. Über die ungewöhnliche Produktion des ABC-Buches, an der nicht weniger als elf Künstler beteiligt waren, gibt ein Brief Robert Reinicks an seinen Freund, den Kunsthistoriker und Schriftsteller Franz Kugler (1808–1858) Aufschluß: „Die Ammenuhr-Künstler traten im vergangenen Winter wieder zusammen, um gemeinschaftlich ein Kinderschriftchen zu illustrieren. Man tappte nach Stoffen umher, wühlte die Tiefen der Kinderliteratur um und stieß endlich auf die Wurzel aller Schriftstellerei: auf das ABC. Es sollte eine Fibel gemacht werden... Die Bilder entstanden mithin zuerst, aber ich merkte, daß der selige Schulmeister Fibel sie nicht erfunden, es waren hübsche, oft schöne Kompositionen, aber durchaus keine Fibelbilder. Mit *Fibelversen* war da also auch nichts zu machen, auch wünschte der Verleger von mir einen bedeutenden Text, damit dieser ihm auf solche Weise die sehr kostbaren Holzschnitte zu einem Lesebuch vereinige und ihm so einen größeren Absatz sichere. So gab ich mich denn daran, und obgleich einzelne gegebene Bilderstoffe oft für mich etwas unelastisch und schwer zu traktieren waren, schrieb ich mich doch bald mit großer Lust und wahrem innigen Behagen hinein, und das Büchlein ward fertig.“[1]

Der Texter Robert Reinick hatte also Schwierigkeiten mit der Art seiner Beiträge; die Künstler hatten sich Bilder ausgedacht, die als Vorlagen für Fibeltexte nur bedingt brauchbar waren, der Verleger aber wollte wegen der kostspieligen Holzschnitte einen guten Absatz für eine so wertvolle Produktion gesichert sehen und ein „richtiges“ Lesebuch auf den Markt bringen. Es entstand ein Zwischending: ABC- *und* Lesebuch in einem Band. Denn eine Fibel (oder ABC-Buch) ist nach ihrer Definition ein Lese*lern*buch; das Lesebuch dagegen setzt Lesen*können* schon voraus; es bietet dem Schüler eine Auswahl verschiedener Sprachwerke, an denen er seine Fertigkeiten üben und erweitern kann.

*

Die Fibel gehört nicht erst zu den Erfindungen der Neuzeit. In den Lateinschulen des Mittelalters benutzte man zum Erlernen der Buchstaben ABC-Bücher; einfache religiöse Texte, ausschließlich in lateinischer Sprache, dienten zum Üben der Lesetechnik, als „Lesebuch für Fortgeschrittene“ hatte man nur die Bibel. Auch der Unterricht an den „teutschen Schulen“ folgte dieser Methode. So finden sich beispielsweise in einer Fibel von 1525 aus Wittenberg folgende Inhalte: das Alphabet, die Zehn Gebote, eine Auslegung des Vaterunser, Benedictus, Gratias, Taufe, Sakramente und Beichte.[2] Allmählich fügte man den Fibeln weltliche Texte ein, wenn auch bis ins 18. Jahrhundert die religiösen Texte bei weitem überwogen.

Die Zeit der Aufklärung, die Lesen als Grundvoraussetzung jeder Bildung und Bildung als Grundvoraussetzung der persönlichen und politischen Freiheit des einzelnen ansah, stellte andere Anforderungen an die Lektüre der Schüler. Zu den ABC-Büchern für den Erstleseunterricht entwickelte man Lesebücher – Kompendien moralisierender und philosophischer Texte. Es ging bei den Leseübungen nun nicht mehr um die indirekte Vermittlung von Glaubensinhalten, sondern man bevorzugte Texte, die in einem weiteren Sinne erzieherisch wirken sollten. Das erste deutsche Lesebuch für Gymnasien gab J. G. Sulzer (1720–1779) im Jahre 1768 heraus, das erste für Volksschulen F. E. von Rochow (1734–1805) 1776.

Nun geht es bei ABC- und Lesebüchern, aus welcher Zeit auch immer, nicht nur ums Lesenüben und Lesenlernen. Die Auswahl der Texte und Bilder spiegelt, beabsichtigt oder nicht, die jeweilige historisch-politische und soziale Situation wider. Darüber hinaus stellen Lesebücher bis auf den heutigen Tag Gesinnungen dar und wollen auf die Gesinnung der Lernenden (und Lehrenden) einwirken.

Untersucht man unser ABC- und Lesebuch auf seine erzieherischen Absichten, so lassen sich deutlich bestimmte Normen feststellen: störrische, naseweise, zappelige, dickköpfige oder hochmütige Kinder werden bestraft; fromme, freundliche, uneitle und fleißige Kinder werden belohnt und geliebt. Die Mutter liebt ihr Kind, weil's lieb ist (S. 64). Diese pädagogischen Grundsätze sind keineswegs originell – doch ist das in unseren Texten vermittelte Weltbild insgesamt recht schlicht, weil ohne Naht- und Bruchstellen. Armut gibt es zwar, aber Bravsein hilft auch in diesem Falle zu einer geordneten und wirtschaftlich gesicherten Existenz (S. 96 ff). Sorgen und Nöte werden ausgeglichen durch die Liebe zwischen Eltern und Kindern (S. 44). Sichbescheiden, Sichfügen ins Unvermeidliche, besonders dann, wenn es sich um den Tod handelt, wird gutgeheißen. Frühverstorbene Kinder – noch im 19. Jahrhundert war die Kindersterblichkeit groß und kaum eine Familie blieb davon verschont – kommen ins Paradies und können sogar die Englein noch etwas lehren (S. 87 ff).

Die Illustrationen verstärken diesen Eindruck des freundlich und harmlos sich ordnenden Lebens. Alle Kinder dieses Buches strömen über vor Herzigkeit, kein Härchen liegt an falscher Stelle, selbst der Bauer (Adam beim Umgraben, S. 5) ist tadellos frisiert. Die Hirten kommen

nicht mit verdreckten Stiefeln vom Feld, und die Tiere machen ein Bild wie auf einer landwirtschaftlichen Musterschau.
Hält man sich vor Augen, daß wenige Monate vor dem Entstehen dieses Lesebuchs der große Weberaufstand in Schlesien zerschlagen worden war, bedenkt man weiter, daß der größte Teil der Kinder um 1845 nur eine ganz mangelhafte Schulbildung erhielt, daß sehr viele Kinder daheim oder auswärts als Arbeitskräfte eingesetzt wurden, so wird deutlich, daß unser ABC-Buch – ökonomisch sowohl wie kulturell – nur einer Minderheit von Kindern erreichbar war: solchen, deren Familien in einigermaßen gesicherten wirtschaftlichen Verhältnissen lebten, Familien, in denen die Kinder nicht zum Lebensunterhalt beitragen mußten, Familien, denen an einer sorgfältigen Ausbildung der Sprößlinge auf intellektuellem und ästhetischem Gebiet gelegen sein konnte. Welche gesellschaftlichen Schichten konnten ihrem Nachwuchs solche Voraussetzungen ermöglichen? Es waren das Besitz- und Bildungsbürgertum und der Adel.
Unser Buch ist wie alle vergleichbaren Publikationen ein Spiegel der moralischen, pädagogischen und – auf den Horizont des kindlichen Bewußtseins gebracht – auch der weltanschaulichen Vorstellungen einer bestimmten gesellschaftlichen Schicht. Hier ist es die des aufstrebenden Bürgertums, das mit der Einordnung als „besserer Stand" nur oberflächlich und ungenau beschrieben wäre.
Oberflächlich wäre es auch, sich vom schönen Schein dieser idyllischen Bilder und von der harmlosen Welt der Reinickschen Lesebuchtexte bestimmen zu lassen zu einem vorschnellen Urteil „gute alte Zeit". Denn die uns heute altbacken, ja gar belächelnswert erscheinenden moralischen Imperative dieses Buches sind – historisch betrachtet – Ausdruck einer idealistischen ethischen Grundhaltung, die zu ihrer Zeit fortschrittlich und kritisch wirken mußte. Man muß sich vergegenwärtigen, daß beim Erscheinen unseres Buches erst wenige Jahrzehnte seit der Französischen Revolution vergangen waren. Ihre aufklärerisch-philosophischen Postulate (Freiheit, Gleichheit, Brüderlichkeit) waren auch in den 40er Jahren des 19. Jahrhunderts höchst aktuell und brisant; denn die damals erhobenen humanitären und politischen Forderungen verwirklicht zu sehen, davon war man noch weit entfernt.
Das Bürgertum, latent unzufrieden, weil betrogem um die politischen Früchte seiner eigenen gesellschaftlichen Leistung, entwickelte Methoden einer inneren und äußeren Abgrenzung zur feudalen Oberschicht. Es sah in seiner eigenen Haltung die hohen moralischen Ziele der Aufklärung und der Revolution eher gewahrt; dieses Gefühl moralischer Überlegenheit drückte sich auch in der pädagogischen Verantwortung der Bildungsbürger für die unteren Schichten aus – und zugleich in der stillen Verachtung der Aristokratie, die man damals zu Teilen als abgewirtschaftet empfand. Und gerade in diesem Bewußtsein einer höheren

Moralität lag der bürgerliche Anspruch auf politische Verantwortung. Die Text- und Bildautoren unseres Buches sind Repräsentanten der geschilderten Haltung. In diese Weltanschauung eingebettet ist das Interesse am Kinde und seiner an humanistischen Idealen orientierten Emanzipation. Deshalb war es damals nichts Ungewöhnliches, wenn sich eine Gruppe z. T. schon etablierter Künstler zur Produktion eines Kinderbuches bereit fand.

*

Der Brief Robert Reinicks erklärt die Arbeitsbedingungen und das Zwitterhafte des so entstandenen Kinderbuches. Denn die Illustrationen kombinieren Buchstabe und Gegenstand nach Art des ABC-Buches, die Texte aber sind in ihrem Schwierigkeitsgrad für den Erstleseunterricht nicht geeignet. Der Grund lag, wie oben erwähnt, einmal in den Forderungen des Verlegers. Vor allem aber hatten sich die Zeichner nicht auf eine einheitlich-plakative Art der Illustration festlegen lassen und gaben so dem Texter sehr komplexe Bildinhalte vor, denen mit Fibelversen ohnehin nicht mehr beizukommen war. Möglicherweise machten aber gerade diese methodischen Mängel mit ihrem vielschichtig gebrochenen Ergebnis den besonderen Reiz und Erfolg des Buches aus. Schon 1847 erschien die zweite Auflage.
Elf Dresdner Künstler hatten sich zu dieser Produktion zusammengefunden, Menschen, die untereinander in vielfältiger beruflicher und privater Verbindung standen und in mancherlei Hinsicht repräsentativ sind für das künstlerische Leben einer Residenzstadt und einer Kunstakademie in den 40er Jahren des 19. Jahrhunderts. Betrachtet man den Holzschnitt zwischen den Seiten 12 und 13, den „Bildermann", genauer, so sind die an der Bilderbude feilgebotenen Bilder keineswegs das, was der Bildermann selbst (im folgenden Gedicht) den Kindern anpreist, und auch gewiß keine Bilder der Art, die Kinder gerne kaufen möchten. Denn Ludwig Richter hat hier in Karikaturen die an der Arbeit zum ABC-Buch beteiligten Künstler – außer dem Komponisten Hiller – an die Bilderbude geschmuggelt; eine liebenswürdige und scherzhafte Hommage an seine Freunde.
Das größte und genaueste Konterfei zeigt Robert Reinick (1805–1852) tabakumwölkt auf dem Pegasus reitend; die Palette mit seinem Signum deutet die Doppelbegabung an: Reinick wußte nie so recht, ob er nun Maler oder Poet war. Auch in unserem Buch fungierte er als Text- *und* Bildautor. Erhalten sind von Reinick nur wenige größere Bilder; seine Lieder, Gedichte und Operntexte hatten keinen rechten Erfolg. Nachhaltiger war seine Wirkung als Autor illustrierter Bücher und Schriften; die Redaktion des „Jugendkalenders" lag von 1849 bis zu seinem Tode 1852 in seinen Händen.

Die außergewöhnlichste Gabe Reinicks aber muß sein Integrations- und Organisationstalent gewesen sein. Überall, wo er studierte oder arbeitete, bildete sich um ihn ein Kreis unterschiedlicher Talente. Reinick war unermüdlich im Erfinden und Ausgestalten festlicher Ereignisse. Einer Danziger Kaufmannsfamilie entstammend, ohne größere materielle Sorgen also, kam er 1825 auf die Kunstakademie nach Berlin und ging von dort mit W. Schadow (1788–1862) nach Düsseldorf – da wie dort war er Mittelpunkt unterhaltsamer und geistreicher Geselligkeit. Eine italienische Reise brachte neue Eindrücke und neue Freundschaften; in den Dresdener Jahren dann bildeten die neuen sächsischen Freunde und eine Reihe der nach Dresden gezogenen Düsseldorfer Künstler den Kreis der „Ammen-Uhr-Künstler". Und so entstand für einige Jahre in Dresden eine Künstlergesellschaft, der wir u. a. auch das vorliegende Buch zu verdanken haben. Man traf sich „allabendlich in einem Kaffeehause...
Aus diesem zufälligen Zusammenfinden bildete sich ein Gesellschaftskreis, der in einem gemieteten Lokale regelmäßig einmal wöchentlich sich vereinigte und gegen zwanzig Jahre lang in jedem Winter sich erneuerte. In den ersten Jahren seines Bestehens war monatlich ein Componirabend festgesetzt worden, wo jeder Teilnehmer eine Composition mitbringen mußte, an welcher von allen die vielseitigste Kritik geübt wurde. Diesen Abenden verdanken die bei Wigand erschienene „Ammenuhr" und das „ABC-Buch Dresdener Künstler" mit Text von Reinick ihre Entstehung. Durchs Los wurde der zu illustrierende Stoff einem Jeden zugeteilt, von der „Ammenuhr" die Verse, vom „ABC-Buch" die Buchstaben des Alphabets. So berichtet uns Ludwig Richter über diese Künstlergruppe in seinen Lebenserinnerungen.[3]

*

Ludwig Richter (1803–1884) ist wohl der heute noch bekannteste der Dresdener Künstler um 1845. Die von ihm illustrierten Alben, Märchen- und Gedichtbücher sind bis heute vom Buchmarkt nicht verschwunden. Er selbst stellte sich an der Bilderbude nur höchst bescheiden, auf einem Blatt in der dritten Reihe, mit seinem Signum und mit einem Paar dünner Beine dar – bescheiden, was seine Person angeht, gleichzeitig aber gewitzt, weil er indirekt neue Produktionen ankündigt: links im Bild zeigen die Kinder auf ein Buch „Die schwarze Tante" – Richter war 1845 gerade dabei, Illustrationsentwürfe für dieses Buch zu erarbeiten.
Bereits Ludwig Richters Vater war – wie später der Sohn – Professor an der Dresdener Kunstakademie gewesen. Bei ihm erhielt der Junge den ersten Unterricht im Zeichnen und Radieren. 1820 schaffen Vater und Sohn gemeinsam ein Ansichtenwerk über Dresden und seine Um-

gebung; das bringt Ludwig ein Stipendium des Verlegers ein für einen dreijährigen Italienaufenthalt. Nach seiner Rückkehr erhält er 1827 eine Anstellung als Zeichenlehrer an der Porzellanmanufaktur in Meißen. Auch schon in Italien hatte sein besonderes Interesse der Landschaftsmalerei gegolten. Erstmals 1834 aber wandte er sich, um sich nun von dem Italien-Erlebnis zu befreien, der Darstellung heimischer Landschaft zu.
Es entstanden in der Folge so bekannte Bilder wie „Die Überfahrt am Schreckenstein“, „Die Abendandacht im Walde“, „Der Brautzug im Frühling“. Die Dresdener Kunstakademie, an die er 1835 berufen wurde, verdankte ihm eine bedeutende Neuerung: Richter ließ seine Schüler ab 1836 nach der Natur zeichnen, was bis dahin an der Akademie nicht üblich gewesen war.

*

Ernst Oehme (1797–1855) – auf Richters Karikatur nur in Rückenansicht zu sehen – war einer seiner Jugendfreunde, Gefährte während der italienischen Wanderzeit, Nachbar und Hausgenosse in den Dresdener Jahren. Sein Vorbild war Caspar David Friedrich (1774–1840); dem Publikum gefielen Oehmes zarte poetische Landschaften. Auch Carl Peschel (1798–1879) – an der Bilderbude als „Kinnstück mit Pfeife“ ausgestellt, war ein Freund aus Jugend- und Wanderjahren. In Rom von den Nazarenern beeinflußt, wandte er sich besonders biblischen und historischen Themen zu. Zunächst hatte er weniger Fortune und mußte eine zeitlang seinen Unterhalt durch Zeichenunterricht und Dosenbemalen verdienen, bis auch er eine Anstellung an der Dresdener Akademie fand. Als Illustrator (z. B. der „Spinnstube“, einem beliebten Almanach der Zeit) war er geschätzt.
Der Aufschwung des Pressewesens und die Verbesserungen in der Drucktechnik brachten für die Künstler jener Zeit ein ganz neues Aufgabenfeld mit sich. Adolf Ehrhardt (1813–1899), von dem wir auf der Karikatur nur eine Hakennase erkennen können, erhielt zwar 1846 eine Professur an der Dresdener Akademie, beteiligte sich aber, wie Peschel und Richter, weiter an der neuen Aufgabe zeichnerischer Ausgestaltung von Volkslieder- und Balladensammlungen. Sein Landsmann und Kollege an der Akademie Ernst Rietschel (1804–1861) war eigentlich Bildhauer; Richter hat ihn denn auch vor einer Skulptur stehend dargestellt. Rietschel kam, wie übrigens auch Oehme, aus ärmsten Verhältnissen; der Familie war noch nicht einmal der Kauf von Bilderbögen für den bilderhungrigen Jungen erschwinglich. Mit ungeheurem Fleiß und äußerster Bescheidenheit lernte er an der Dresdener Akademie, arbeitete dann als Modelleur für die Eisenhütte in Lauchhammer und kam schließlich in das Atelier von Rauch (1777–1857) nach Berlin. Riet-

schels bekanntestes Werk ist das Doppelstandbild Goethes und Schillers vor dem Nationaltheater in Weimar; das Lutherdenkmal für Worms konnte er nicht mehr vollenden.
Der Berliner Bankierssohn Eduard Bendemann (1811–1889) kam über Düsseldorf nach Dresden; ein Ruf an die Kunstakademie und die Aufgabe, im königlichen Schloß Fresken zu malen, zeigen, daß er schon als junger Mann Renommee besaß – er galt, in seinen späteren Jahren als Direktor der Düsseldorfer Kunstakademie, den Zeitgenossen als *der* deutsche Maler schlechthin; besonders intensiv beschäftigte er sich mit Themen aus dem Alten Testament und mit Porträtmalerei. Während der „Bildermann" Bendemanns Kopf im Profil anbietet, ist dessen Akademiekollege und Schwager Julius Hübner (1806–1882) als würdiger Herr mit Zylinder und Stöckchen abkonterfeit. Hübner gehörte ebenfalls zu den Düsseldorfer Schülern von Schadow, sein Spezialgebiet war die Historienmalerei, ein Genre, in dem auch der Westfale Theobald Frhr. von Oer (1807–1885) reussierte, der in unserm Buch mit Pfeife und Hauskäppchen karikiert wird. Hübner erhielt den Auftrag, den Vorhang des neuen Dresdener Hoftheaters zu gestalten. In Gemeinschaftsarbeit mit Oehme, Richter und v. Oer wurde diese schwierige Aufgabe bewältigt.
Andere gemeinsame Aktionen des „Ammenuhr-Kreises" waren weniger spektakulär – man stand sich Modell, vermittelte einander Aufträge, man regte sich gegenseitig an. So machte z. B. Bendemann Ludwig Richter auf die Gedichte von Mörike aufmerksam. Es blieb nicht bei der Diskussion der eigenen Arbeiten, wie L. Richter es beschrieben hatte, man pflegte auch musikalische und literarische Interessen. Robert Reinick war mit den Komponisten Robert Schumann und Richard Wagner befreundet, hatte Kontakte zu den literarischen Kreisen um Gutzkow und v. Chamisso. Er selbst schrieb für Schumann und Ferdinand Hiller Opernlibretti.
Der vielgewandte Dirigent, Musikpädagoge und Weltmann Ferdinand Hiller (1811–1885) blieb in seinen eigenen Kompositionen zeitlebens dem Vorbild Mendelssohns treu. In seinem vielseitigen Oeuvre hat er auch den Salon des musikliebenden Bürgertums bedacht, mit Klavierstücken und mit vertonten Gedichten, für eine Singstimme und Klavier. So lag es nahe, daß Reinick, sein Librettist, den Freund um die Vertonung einiger Lieder aus dem ABC-Buch bat. Diese Kompositionen sind sehr schlicht und kindertümlich gehalten, und es ist bedauerlich, daß sie so ganz vergessen sind. Während seiner letzten 35 Lebensjahre – ab 1850 – machte Hiller Köln zur rheinischen Musikmetropole.

*

Unsere elf Künstler verband mehr als nur geselliges Beisammensein, freundschaftliche Beziehungen, kollegiales Einverständnis und die gelegentliche Produktion eines Kinderbuches. Das sind noch die kennzeichnenden Gemeinsamkeiten von Zeit- und Altersgenossen. Fast alle gehörten sie einer Generation an, deren Kindheit durch Aufstieg, Wirken und Sturz Napoleons geprägt war; sie erlebten als junge Leute die restaurative Politik nach dem Wiener Kongreß, als Männer kamen sie mit der Vormärz-Bewegung in Berührung und mußten sich mit den Ereignissen und Folgen der 48er Revolution auseinandersetzen. Die meisten wurden noch im Alter Zeugen der rasanten industriellen Entwicklung in Deutschland. Die Jahre zwischen dem Sturz Napoleons und der Julirevolution (1830) in Frankreich waren zwar Friedensjahre, und das Metternichsche System – Restauration der politischen Zustände von vor 1792 und solidarische Abwehr revolutionärer Bestrebungen durch die legitimen Fürsten – entsprach zunächst in dem von so vielen Kriegen ermüdeten Europa einer allgemeinen Sehnsucht nach politischer Beruhigung. Bald aber erschöpfte dieses System sich darin, das eigene, voraussehbare Ende hinauszuzögern – gegen immer neue Anläufe der liberalen und demokratischen Opposition.

Die Turner- und Burschenschaftsbewegung an den Universitäten steht hier für die Aktivitäten vieler anderer kritischer Gruppen. Getragen wurde diese Opposition vom Besitz- und Bildungsbürgertum. Adel, Geistlichkeit, Beamtenschaft und Bauern waren zum größten Teil konservativ eingestellt und wollten die ständische Ordnung der Gesellschaft, den zentralistisch-starken Staat und die Bewahrung überkommener Lebensformen beibehalten sehen.

Obwohl dem Bürgertum die gesellschaftlichen Errungenschaften der Napoleonischen Ära erhalten geblieben waren und es sich längst zur wirtschaftlich und intellektuell-künstlerisch führenden Schicht entwikkelt hatte, blieb ihm eine entsprechende politische Mitbestimmung – vor allem in Österreich und Preußen – versagt. Dieser Zustand, verbunden mit der polizeistaatlichen Verfolgung der Anhänger des Fortschritts und mit einer rigiden Pressezensur, bewirkte beim Bürgertum zunächst eine latente Unzufriedenheit, mehr und mehr aber auch Resignation. Man zog sich zu seinen Geschäften und auf gesellige Liebhabereien in Literatur, schönen Künsten oder in der Natur zurück. Und doch charakterisiert der Begriff „Biedermeier" die Jahrzehnte vor 1848 nur unzureichend. Wir Nachgeborenen sehen viel deutlicher in jener Phase die Grundlagen mancher Entwicklung des späteren 19. Jahrhunderts entstehen – sowohl auf politisch-wirtschaftlichem als auch auf künstlerisch-philosophischem Gebiet. Die Leistungen und Errungenschaften der Biedermeierzeit wie die ersten deutschen Eisenbahnen oder der erste deutsche Zollverbund, die Versuche, den Menschen als das zu beschreiben, was er ist und nicht als das, was er sein soll (Büchner), die Abwendung der Maler und Bildhauer vom Studium der Gipskopie einer

Kopie hin zum unmittelbaren Vor-Bild – dies alles war eigentlich revolutionär.
Doch die vielfältigen politschen Strömungen, verbunden mit unterschiedlichen künstlerischen Richtungen bewirkten bei der Künstlergeneration, der die Autoren unseres Buches angehörten, eine außerordentliche Unsicherheit. Der Historiker Leopold von Ranke (1795–1886) charakterisiert in einem Brief aus dem Jahre 1830 diese Schwierigkeiten so: „Wir sind voll Theorien und Systeme über die Kunst, und von dieser selber haben wir kaum einen Schatten mehr übrig.“[4] Ranke formulierte den Widerspruch zwischen Kunst als Idee und Kunst als Leben – und gerade das ist es, was die Künstler um 1830 besonders bewegte. Denn ihr künstlerischer Werdegang fing an in der Gipsklasse. Dort mußten sie ein Jahr lang Gipskopien antiker Bildwerke abzeichnen. Sie hatten Lehrer, die ihnen noch die Vorstellungen der Zopfzeit vermittelten, ja oft noch nicht einmal über grundlegende handwerkliche Kenntnisse verfügten. Wenn die jungen Studenten zu Hause selten mehr lernten als, im Stile der Tableaux des Klassizismus, Szenen aus der antiken Mythologie zu zeichnen, so versprach man sich um so mehr vom Erlebnis Italiens und seiner Kunst – es galt als unerläßlich, sich mit den italienischen Vorbildern in Malerei und Skulptur auseinanderzusetzen. man studierte sie eifrig, zeichnete auch fleißig nach der Natur, doch galt es als die vornehmste Aufgabe des Künstlers, seine realistischen Beobachtungen der Welt einzubringen in eine idealistische Naturdarstellung. Klassik und Romantik erlebten die Natur als geistdurchwirkt. Nichts sollte so sein, wie es ist, alles sollte auf einen den Dingen immanenten tieferen Sinn hinweisen. Es war darum schon eine stille Revolution, als sich die Generation der um 1800 geborenen Künstler von der verklärten Landschaft Italiens ab- und der eigenen, unmittelbar geschauten und festgehaltenen Umwelt zuwandte.
Betrachtet man die 27 großen Holzschnittillustrationen unseres ABC-Buches (25 Buchstaben mit Titelblatt und Schlußvignette) als Einheit, so hat man einen Spiegel wichtiger kultureller, künstlerischer und ideengeschichtlicher Strömungen der Jahrhundertmitte vor Augen, wie er typischer und komprimierter kaum denkbar ist. Unter diesem kulturhistorischen Aspekt ist die formale und stilistische Uneinheitlichkeit der von zehn verschiedenen Künstlern geschaffenen Blätter kein Nachteil – darum besitzt das hier mehr oder minder versteckte Zeitbild nur um so mehr Ansichtsseiten.

*

Das Bürgertum hatte sich nach dem Scheitern aller politischen Erwartungen in seinem Bewußtsein auf sich selbst zurückgezogen. Das unterdrückte Emanzipations- und Freiheitsstreben suchte sich einstweilen

andere Kanäle. Man begab sich in eine Welt von Eskapismus, Natursentimentalität, Stadtflucht und Vergangenheitssehnsucht, welche durchaus mit Tendenzen unserer heutigen Zeit vergleichbar ist, auch in ihrer utopischen Unterströmung. Man entdeckte – und dies war ein Novum – die gleichsam vor der Haustür liegende Natur. Sie wurde nun aber nicht mehr – wie im Barock – als pathetisches Welttheater erlebt (Rubenslandschaften), sondern sie war parkartig organisiert und kultiviert und wirkte wie eine erweiterte, nach draußen verlegte gute Stube des bescheidenen Biedermeierhauses: jeder Baum und Strauch, ja jedes Blatt und Gräslein wohlgeordnet an seinem Platz, eine scheinbar versöhnte Welt, fern der Stadt und ihrem Getriebe, eine Sphäre, wo der verinnerlichte, idealistisch gestimmte Mensch Ruhe und Kontemplation im Rückzug in die Idylle fand.
Adam und Eva sind nicht geworfen in eine wüste und feindliche Welt nach der Erbsünde, sondern haben Haus und Hof wohlbestellt (Bild Buchstabe A). Das Dorf als ästhetisch reizvoller und geschichtlich wie kulturell eigenständiger Bereich mit alten Fachwerkhäusern, Dorflinde und Renaissanceherrenhaus wurde entdeckt (D). Der Einsiedler – man denkt sofort an C. D. Friedrichs einsame Naturbetrachter – wird zur Symbolgestalt des zeitüblichen Naturfreundes: Rückzug in die Innerlichkeit, in den Frieden des Landes, ein inneres Exil gleichsam, dessen Versatzstücke schön oder phantastisch geformte Baumgestalten und die altertümliche Holzhütte abgeben (E). Diese Welt ist bevölkert von frommen Hirten und Herden, die der bürgerliche Humanist des 18. Jahrhunderts noch mit Vergils oder Theokrits Hirtenidyllen in Verbindung gebracht hätte. Doch der biedere Schäfer um 1840 schäkert nicht mehr am kühlen Bachufer mit Nymphen, sondern wird abends von seiner Ehefrau empfangen – eine Heimkehr ins Glück der Ordnung (H); oder er befreit, ins Moralisch-Christliche gewendet, das von der Herde verirrte Lamm aus der Dornenhecke (L).
Das Personal dieser sentimentalisch erträumten und zugleich mit genauem Wirklichkeitssinn beobachteten Welt fügt sich dazu. Die Mutter (M) wirkt wie eine bürgerlich-säkularisierte Mutter Gottes, die zwar die historische Reminiszenz an die vorbildliche Renaissancemalerei nicht verleugnet, aber sich in die häuslich-bescheidene Schwester einer klassischen Raffaelmadonna verwandelt hat. Der Handelsvertreter, der sich mit seinem hochbeladenen Wagen auf der Seilzugfähre übersetzen läßt, vergißt es bestimmt nicht, den Fährmann angemessen zu entlohnen (F). Wenn er abends im Gasthof zur Gabel Station macht, so verheißt das Schnattern der Gänse vor der Herberge köstlichen Braten (G). Der Gasthof mit seinem prächtigen, liebevoll gezeichneten Fachwerk zeugt von der Entdeckung der historischen Stadtgestalt und der „deutschen“ Architektur mit spitztürmigen gotischen Kirchen, Fachwerkerkern und schönen Portalen – wobei es auch zur genau beschriebenen Stadtidylle

gehört, daß schon einmal ein Klappladen schief in der Angel hängt. Ähnliches machte Spitzweg zum Thema der Malerei, und wir fassen hier in einem Aspekt den Beginn des modernen Denkmalkultes. Später dreht der Nachtwächter treulich seine Runden, und solange er regelmäßig die Stunden bläst, weiß der geborgen im warmen Bette liegende Biedermeier, daß kein Unheil über die Stadt kommt (N). Der Jäger, der frühmorgens durch den Wald zieht, ist nicht mehr der freche adlige Junker, dessen Wild die Felder der Bauern kahl frißt, der nur Tollereien im Kopf hat und die Bauernmägde bedrängt, sondern schon eher ein bürgerlicher Forstadjunkt mit romantischem Berufsbild (J).
In den Bildern V und W wird auf den Spuren von Vorbildern aus der Renaissance das alte Thema der Jahreszeitenallegorie und der Monatsarbeiten aufgegriffen (Weinernte und Vogelsteller = Herbst). Solche Bilder mochten unsre Künstler an den Wänden italienischer Villen gesehen haben, und in den Buchstaben S und T ist das für einen Sachsen sehr ferne südliche Sehnsuchtsziel (Savoyen, Alpenland) präsent mit der klassisch schönen Savoyardin, dem ums Gebälk rankenden Wein und den unter einem blauen Himmel heiter tanzenden Bauern: nicht nur auf den Bergen, vor allem auch im Süden, wohnte die zu Hause vermißte Freiheit. Historische Rückgriffe bei den Bildern vom Quacksalber (Qu) und Ritter (R): zum einen die niederländische Genremalerei des 17. Jahrhunderts, die wahlverwandt schien, weil auch sie derberen Volkshumor und die kleinbürgerliche Idylle kannte, zum andern das angeschwärmte deutsche Mittelalter, wobei der Bürger an Herolde der nationalen Einheit und Gegner der Landesfürsten wie U. v. Hutten denken mochte.
Vertrackt waren die im Deutschen als Anlaut nicht vorkommenden Buchstaben X und Y. Für das X griff man auf einen finster despotischen Xerxes zurück, dem auf der unteren Bildleiste ein ebenso despotischer Schulmeister mit Zuchtrute und weinenden Kindern entspricht. Das Y, der exotische Harlekin unter den Buchstaben, erscheint – eine hübsche Grille – als artistisch-zirzensische Leistung: Ein Gaukler auf dem Kopf, dessen gegrätschte Beine die offene Schere des Y bilden. Der Jakobspilger mit Muschel, Wanderstab und Bettelbüchse mochte die zeittypische „Pilgerschaft in die Innenwelt der Seele" (Jean Paul) illustrieren. Im Uhu im Urwal (U) wird deutlich, daß die Epoche seit Alexander von Humboldts abenteuerlicher Orinokoexpedition noch eine andere, exotische und bedrohlichere Natur sich anzueignen begann.
In den Bildern K und O und im Schlußbild kommen die ins Bild, denen das Buch gewidmet war, die Kinder. Sie erscheinen als emanzipierte Wesen in eigener, halb bäuerlicher, halb Freizeittracht, jedenfalls nicht mehr als kleine verkleidete Erwachsene. Sie leben und agieren in ihrer eigenen kindhaften Welt mit eigenwertigen Beziehungen zueinander, nicht mehr bloß zur Welt der Erwachsenen. Man erinnert sich an Phi-

lipp Otto Runges (1777–1810) bezaubernde Kinderbilder. Die vorletzte Illustration schließlich, Z wie Ziehbrunnen und Ziege, beschließt mit einer entzückenden ländlichen Idylle, der biblisch-archaisch anmutenden Szene des Wasserschöpfens, den Bilderreigen. Auf dem Querbalken des Brunnens aber steht in lateinischen Zahlen das Erscheinungsjahr unseres Buches eingemeißelt: MDCCCXLV (1845).

Anmerkungen

1 Höffner, Johannes (Hrsg.): Aus Biedermeiertagen. Briefe Robert Reinicks und seiner Freunde. Leipzig 1910. S. 141
2 Helmers, Hermann: Geschichte des deutschen Lesebuchs in Grundzügen. Stuttgart 1970. S. 13
3 Richter, Ludwig: Lebenserinnerungen eines deutschen Malers. Frankfurt a. M 1885. S. 345 f
4 Boehn, Max von: Biedermeier. Berlin 1927. S. 382

Die bibliophilen Taschenbücher

Bisher sind erschienen:

Die Gutenberg-Bibel, Band 1
Nach der Ausgabe von 1450–1455
Die bibliophilen Taschenbücher Nr. 1
Mit Nachworten von Wieland Schmidt
und Aloys Ruppel
320 Seiten, ISBN 3-921846-01-3
14,80 DM

Lieder der Heimath
Nach der Ausgabe von 1868
Die bibliophilen Taschenbücher Nr. 2
140 S., 119 Abb., ISBN 3-921846-02-1
7,80 DM

Kladderadatsch
Nach dem 1. Jahrgang 1848
Die bibliophilen Taschenbücher Nr. 3
140 S., 82 Abb., ISBN 3-921846-03-X
6,80 DM

Stowe, Harriet Beecher
Onkel Tom's Hütte
Nach der Ausgabe von 1853
Die bibliophilen Taschenbücher Nr. 4
356 S., 40 Abb., ISBN 3-921846-04-8
12,80 DM

Ludwig Bechstein's Märchenbuch
Nach der Ausgabe von 1853
Die bibliophilen Taschenbücher Nr. 5
174 Holzschnitte von Ludwig Richter
280 Seiten, ISBN 3-921846-05-6
9,80 DM

Kugler, Franz/Menzel, Adolph
Geschichte Friedrichs des Großen
Nach der Ausgabe von 1856
Die bibliophilen Taschenbücher Nr. 6
317 Illustrationen von Adolph Menzel
545 Seiten, ISBN 3-921846-06-4
16,80 DM

Das Lob des Tugendsamen Weibes
Nach der Ausgabe von 1885
Die bibliophilen Taschenbücher Nr. 7
22 Illustrationen von L. von Kramer
60 Seiten, ISBN 3-921846-07-2
6,80 DM

Pater Hilarion alias Joseph Richter
Bildergalerie weltlicher Misbräuche
Nach der Ausgabe von 1785
Die bibliophilen Taschenbücher Nr. 8
270 S., 20 Tafeln, ISBN 3-921846-08-0
9,80 DM

Weigel, Christoph
Abbild- und Beschreibung der Gemein-Nützlichen Haupt-Stände
Nach der Ausgabe von 1698
Die bibliophilen Taschenbücher Nr. 9
434 Seiten, 212 Tafeln, ISBN 3-921846-09-9
14,80 DM

Bry, Theodore de
Das vierdte Buch Von der neuwen Welt
Nach der Ausgabe von 1594
Die bibliophilen Taschenbücher Nr. 10
191 S., 26 Abb., ISBN 3-921846-10-8
9,80 DM

Zeitung für Pferdeliebhaber
Nach der Ausgabe von 1825
Die bibliophilen Taschenbücher Nr. 11
414 S., 12 Abb., ISBN 3-921846-11-6
14,80 DM

Praktische Konditoreikunst
Nach der Ausgabe von 1913
Die bibliophilen Taschenbücher Nr. 12
242 S., 112 Farbtafeln, ISBN 3-921846-12-4
16,80 DM

Richter, Ludwig/A. E. Marschner
Alte und neue Studentenlieder
Nach der Ausgabe von 1844
Die bibliophilen Taschenbücher Nr. 13
66 Holzschnitte
80 Seiten, ISBN 3-921846-13-7
6,80 DM

Ridinger, Johann Elias
Vorstellung und Beschreibung derer Schul und Campagne Pferden nach ihren Lectionen
Nach der Ausgabe von 1760
Die bibliophilen Taschenbücher Nr. 14
118 Seiten, 46 Abb., ISBN 3-921846-14-5
9,80 DM

Hancarville
Bilder aus dem Privatleben der römischen Cäsaren
Nach der Ausgabe von 1906
Die bibliophilen Taschenbücher Nr. 15
Mit einem Nachwort von Henry Herbedé
257 Seiten, 51 Abb., ISBN 3-921846-15-3
9,80 DM

Dichand, Hans
Jugendstilpostkarten
Die bibliophilen Taschenbücher Nr. 16
70 Farbtafeln
Mit einem Nachwort von Hans Dichand
und Künstlerbiographien
von Michael Martischnig
164 Seiten, ISBN 3-921846-16-1
16,80 DM

Lügen-Chronik oder Wunderbare Reisen zu Wasser und zu Lande und lustige Abenteuer des Freiherrn von Münchhausen
Nach der Ausgabe von 1839
Die bibliophilen Taschenbücher Nr. 17
117 Holzschnitte
504 Seiten, ISBN 3-921846-17-X
14,80 DM

Fischer von Erlach, Johann Bernhard
Entwurf einer historischen Architektur
Nach der Ausgabe von 1721
Die bibliophilen Taschenbücher Nr. 18
84 Kupferstiche
Mit einem Nachwort von Harald Keller
296 Seiten, ISBN 3-921846-18-8
16,80 DM

Grandville:
Die Seele der Blumen – Les Fleurs Animées
Nach der Ausgabe von 1847
Die bibliophilen Taschenbücher Nr. 19
116 Seiten, 50 Farbtafeln, ISBN 3-921846-19-6
Mit einem Nachwort von Marianne Bernhard
14,80 DM

Goethe, Johann Wolfgang von
Die Leiden des jungen Werthers/
Nicolai, Friedrich
Die Freuden des jungen Werthers
Nach den Ausgaben von 1774 und 1775
Die bibliophilen Taschenbücher Nr. 20
Mit einem Nachwort von Heiner Höfener
314 Seiten, ISBN 3-921846-20-X
12,80 DM

Anmuth und Schönheit
Nach der Ausgabe von 1830
Die bibliophilen Taschenbücher Nr. 21
4 Abb.
302 Seiten, ISBN 3-921846-21-8
9,80 DM

Alte Bilderrätsel
Die bibliophilen Taschenbücher Nr. 22
Mit einem Nachwort von Ulrike Bessler
160 Seiten, 148 Tafeln, ISBN 3-921846-22-6
6,80 DM

Hancarville
Denkmäler des Geheimkults der römischen Damen
Nach einem Privatdruck um 1910
Die bibliophilen Taschenbücher Nr. 23
144 Seiten, 48 Tafeln, ISBN 3-921846-23-4
9,80 DM

Flögel, Karl Friedrich
Geschichte des Grotesk-Komischen
Nach der Ausgabe von 1862
Die bibliophilen Taschenbücher Nr. 24
zahlreiche Farb- und Schwarzweiß-Abb.
sowie alle Klapp- und Verwandlungseffekte
548 Seiten, ISBN 3-921846-24-2
16,80 DM

Deutsches Balladenbuch
Nach der Ausgabe von 1861
Die bibliophilen Taschenbücher Nr. 25
122 Holzschnitte von L. Richter u. a.
360 Seiten, ISBN 3-921846-25-0
12,80 DM

Herzensangelegenheiten. Liebe aus der Gartenlaube
Aus dem 19. Jahrhundert
Die bibliophilen Taschenbücher Nr. 26
Mit einem Nachwort von Marianne Bernhard
148 S., 140 Abb., ISBN 3-921846-26-9
6,80 DM

Rösel von Rosenhof, August Johann
Insecten-Belustigung
Nach den Ausgaben von 1746/49/55/61
Die bibliophilen Taschenbücher Nr. 27
200 Seiten, 175 Farbtafeln,
Mit einem Nachwort von Wolfgang Dierl
ISBN 3-921846-27-7
19,80 DM

Hey, Wilhelm
Funfzig Fabeln für Kinder
Nach der Ausgabe von 1833
Die bibliophilen Taschenbücher Nr. 28
50 Tafeln von Otto Speckter
Mit einem Nachwort von Walter Scherf
142 Seiten, ISBN 3-921846-28-5
9,80 DM

Baedeker, Karl
Rheinreise von Basel bis Düsseldorf
Nach der Ausgabe von 1849
Die bibliophilen Taschenbücher Nr. 29
15 Tafeln und 10 Karten
Mit einem Nachwort von Peter Baumgarten
377 Seiten, ISBN 3-921846-29-3
14,80 DM

Comenius, Johann Amos
Orbis sensualium pictus
Nach der Ausgabe von 1658
Die bibliophilen Taschenbücher Nr. 30
Mit einem Nachwort von Heiner Höfener
408 Seiten, 150 Abb., ISBN 3-921846-30-7
14,80 DM

Reinick, Robert/Hiller, Ferdinand
ABC-Buch für kleine und große Kinder
Nach der Ausgabe von 1876
Die bibliophilen Taschenbücher Nr. 31
Mit einem Nachwort von Ulrike Bessler
139 Seiten, 25 Tafeln, ISBN 3-921846-31-5
6,80 DM

Ludlow, J. W.
Das Buch der Tauben
Nach der Ausgabe um 1870
Die bibliophilen Taschenbücher Nr. 32
Mit einem Nachwort von Joachim Schütte
120 Seiten, 50 Farbtafeln,
ISBN 3-921846-32-3
9,80 DM

Kaiser-Wilhelm-Album
Die bibliophilen Taschenbücher Nr. 34
160 Seiten, ca. 100 Abb.,
ISBN 3-921846-34-X
12,80 DM

Das Nibelungenlied
Übersetzt von Gotthard Oswald Marbach
Nach der Ausgabe von 1840
Die bibliophilen Taschenbücher Nr. 35
416 Seiten, 44 Holzschnitte,
ISBN 3-921846-35-8
14,80 DM

Der Markusplatz
Nach der Ausgabe von 1831
Die bibliophilen Taschenbücher Nr. 36
Mit einer Einführung von Harald Keller
72 Seiten, 16 Farbtafeln,
ISBN 3-921846-36-6
9,80 DM

Im Juni 1978 erscheinen:

12 000 Deutsche Sprichwörter
Nach der Ausgabe von 1846
Die bibliophilen Taschenbücher Nr. 37
Mit einem Nachwort von Hermann Bausinger
592 Seiten, ISBN 3-921846-37-4
16,80 DM

Goldsmith, Oliver
Der Landprediger von Wakefield
Übersetzt von Ernst Susemihl
Nach der Ausgabe von 1841
Die bibliophilen Taschenbücher Nr. 38
58 Holzschnitte von Ludwig Richter
Mit einem Nachwort von Heiner Höfener
272 Seiten, ISBN 3-921846-38-2
7,80 DM

Richter, Ludwig
Beschauliches und Erbauliches
Nach der Ausgabe von 1855
Die bibliophilen Taschenbücher Nr. 39
54 Seiten, 35 Holzschnitte,
Mit einem Nachwort von Reinhard Bentmann
ISBN 3-921846-39-0
6,80 DM

Kiefer, F. J.
Die Sagen des Rheinlandes
Nach der Ausgabe von 1845
Die bibliophilen Taschenbücher Nr. 40
340 Seiten, 20 Stahlstiche,
ISBN 3-921846-40-4
16,80 DM

Carolsfeld, Schnorr von
Die Bibel in Bildern
Die bibliophilen Taschenbücher Nr. 41
ca. 320 Seiten
ISBN 3-921846-41-2
12,80 DM

Hebel, Johann Peter
Allemannische Gedichte für Freunde ländlicher Natur und Sitten
Nach der Ausgabe von 1851
Die bibliophilen Taschenbücher Nr. 42
95 Holzschnitte von Ludwig Richter
218 Seiten, ISBN 3-921846-42-0
7,80 DM

Im August 1978 erscheinen:

Burgkmair, Hans
Turnier-Buch
Nach der Ausgabe von 1853
Die bibliophilen Taschenbücher Nr. 43
27 Farbtafeln von Hans Burgkmair
Mit einem Nachwort von R. Bentmann
86 Seiten, ISBN 3-921846-43-9
14,80 DM

Herder, Johann Gottfried von
Der Cid
Nach der Ausgabe von 1859
Die bibliophilen Taschenbücher Nr. 44
73 Abbildungen von Eugen Neureuther
Mit einem Nachwort von Heiner Höfener
240 Seiten, ISBN 3-921846-44-7
12,80 DM

Storm, Theodor
Immensee
Nach der Ausgabe von 1857
Die bibliophilen Taschenbücher Nr. 45
13 Abbildungen von Ludwig Pietsch
52 Seiten, ISBN 3-921846-45-5
6,80 DM

Zschokke, Heinrich
Die klassischen Stellen der Schweiz
Nach der Ausgabe von 1842
Die bibliophilen Taschenbücher Nr. 46
84 Abbildungen von Gustav A. Müller
Mit einem Nachwort von Peter Baumgarten
596 Seiten, ISBN 3-921846-46-3
16,80 DM

Scherer, Georg
Die schönsten deutschen Volkslieder
Nach der Ausgabe von 1875
Die bibliophilen Taschenbücher Nr. 47
94 Abbildungen von Ramberg und Richter
Mit einem Nachwort von Hermann Bausinger
240 Seiten, ISBN 3-921846-47-1
9,80 DM

Hopf, Angela und Andreas (Hrsg.)
Exlibris
Die bibliophilen Taschenbücher Nr. 48
220 Abbildungen, davon 32 in Farbe
240 Seiten, ISBN 3-921846-48-X
14,80 DM

Im September erscheinen:

Goethe/Kaulbach
Reineke Fuchs
Nach der Ausgabe von 1867
Die bibliophilen Taschenbücher Nr. 49
36 Stahlstiche von Wilhelm von Kaulbach
Mit einem Nachwort von Walter Scherf
320 Seiten, ISBN 3-921846-49-8
12,80 DM

Machiavelli/Friedrich II
Regierungskunst eines Fürsten/Antimaciavel
Nach der Ausgabe von 1745
Die bibliophilen Taschenbücher Nr. 50
Mit einem Nachwort von Heiner Höfener
536 Seiten, ISBN 3-921846-50-1
16,80 DM

Sancta Clara, Abraham a
100 Ausbündige Narren in Folio
Nach der Ausgabe von 1709
Die bibliophilen Taschenbücher Nr. 51
101 Abbildungen von Christoph Weigel
606 Seiten, ISBN 3-921846-51-X
16,80 DM

Hey, Wilhelm
Noch 50 Fabeln
Nach der Ausgabe von 1837
Die bibliophilen Taschenbücher Nr. 52
50 Abbildungen von Otto Speckter
Mit einem Nachwort von Walter Scherf
150 Seiten, ISBN 3-921846-52-8
9,80 DM

Wolff, Oscar Ludwig Bernhard
Naturgeschichte des Studenten
Nach der Ausgabe von 1847
Die bibliophilen Taschenbücher Nr. 53
29 Abbildungen
214 Seiten, ISBN 3-921846-53-6
9,80 DM

Sternberg, Friedrich
Knasterkopfs Annehmlichkeiten und Freuden
Nach der Ausgabe von 1834
Die bibliophilen Taschenbücher Nr. 54
16 Abbildungen
188 Seiten, ISBN 3-921846-54-4
9,80 DM

(Änderungen vorbehalten)